Lectio Divina

de los

Evangelios

para el Año Litúrgico

2021-2022

CONFERENCIA DE OBISPOS CATÓLICOS DE LOS ESTADOS UNIDOS

WASHINGTON, DC

Primera impresión, agosto de 2021

ISBN 978-1-60137-929-0

Contenido

La lectura busca la dulzura de una vida bendita
La meditación la percibe,
La oración la pide,
La contemplación la gusta.

La lectura, por así decir, pone comida en la boca;
La meditación la mastica y la rompe,
La oración extrae su sabor,
La contemplación es la dulzura misma
Que alegra y refresca.

La lectura trabaja en el exterior,
La meditación en el fondo,
La oración pide lo que anhelamos;
La contemplación nos deleita en la dulzura
Que hemos encontrado.

— Guigo II, *La Escala de los Monjes*, III (siglo XII)

Qué es la *lectio divina* y cómo usar este libro

Lectura—Meditación— Oración—Contemplación

Lectio divina, o "lectura divina" es un proceso de involucrarse con Cristo, la Palabra de Dios. Por medio de este sagrado ejercicio, entramos en una relación más íntima con la propia Palabra, que nos comunica el amor del Padre a través del Espíritu Santo.

Lectio divina tiene cuatro pasos en los cuales primero escuchamos lo que ha dicho Dios (lectura). Luego lo interiorizamos y reflexionamos (meditación). De aquí, se elevan nuestros corazones (oración). Finalmente, después de hablarle al Señor en la oración, descansamos y escuchamos su mensaje para nosotros (contemplación).

Éste es el proceso de *lectio divina*. Es una conversación con Dios, fundamentada en la revelación del propio Dios a nosotros. Esto nos ayuda a hablar con Dios con un enfoque de lo que él ya nos ha comunicado sobe su relación con la humanidad, sus planes y deseos para nosotros, sus promesas, sus advertencias, y su guía sobre cómo podemos vivir para alcanzar verdadera vida en abundancia en Cristo.

A continuación, se da una breve descripción de cada uno de los cuatro pasos:

Lectura (*Lectio*)

Lea el pasaje despacio y permítale que penetre.

Si hay una frase o pasaje particularmente llamativa y quiere guardarla consigo, piense en aprenderla de memoria, o anotarla para tenerla con usted, para poder releerla durante el día y dejarla que penetre más profundamente en su espíritu.

"La fe viene de la predicación y la predicación consiste en anunciar la palabra de Cristo". (*Romanos 10:17*)

"La palabra de Dios es viva, y | eficaz . . . y descubre los pensamientos e intenciones del corazón". (*Hebreos 4:12*)

Meditación (*Meditatio*)

Lea el pasaje de nuevo, y cuando algo le llame la atención, o le surja una pregunta, deténgase y medite. Piense sobre lo que Dios podría estar diciendo a través de esto.

"Es gloria de Dios ocultar una cosa, | es gloria de reyes investigarla". (*Proverbios 25:2*)

"Tus ordenanzas quiero meditar | y fijarme en tu forma de actuar". (*Salmo 118:15*)

Oración (*Oratio*)

Háblele al Señor sobre lo que ha leído y comparta lo que está en su mente y en su corazón—ofrezca y comparta con el Señor su agradecimiento, petición, preocupaciones, dudas, o simplemente, afírmele al Señor la palabra que ha dicho.

"Entremos por sus puertas dando gracias, | por sus atrios, con himnos". (*Salmo 99:4*)

"Pidan y se les dará; busquen y encontrarán; toquen y se les abrirá". (*Mateo 7:7*)

Contemplación (*Contemplatio*)

Este es un tiempo de silencio, un tiempo de descansar en su presencia y esperar en el Señor. Es un momento en que le permitimos al Señor que hable directamente a nuestro espíritu dentro de nosotros. Requiere práctica. Pero nos permite estar atentos a la voz del Señor y, con práctica regular, nuestra capacidad de escuchar la voz del Señor crecerá en la vida diaria y en las situaciones diarias, a medida que aprendemos a enfocar nuestras mentes, nuestros pensamientos, nuestras preocupaciones y nuestras esperanzas en él.

"Mis ovejas escuchan mi voz; yo las conozco y ellas me siguen". (*Juan 10:27*)

"Ríndanse y reconozcan que yo soy Dios". (*Salmo 45:11*)

Aplicar este proceso de *lectio divina* al año litúrgico

Esta *Lectio Divina de los Evangelios para el Año Litúrgico* guiará al lector a través de los domingos y fiestas y solemnidades principales del año litúrgico. Se puede usar para la devoción privada, y también se puede utilizar fácilmente para ayudar a pequeñas reflexiones grupales en parroquias y comunidades de fe. Ofrece un proceso estructurado para implicarse con la Palabra de Dios. A medida que el lector o grupo se familiariza más con la Escritura, este proceso se puede adaptar más estrictamente al camino de crecimiento que mejor le convenga al lector o lectores.

En primer lugar, la sesión de *lectio divina* comienza haciendo una oración tomada de la colecta de la Misa para esa semana litúrgica. Después de esa oración, se lee el pasaje principal de la Escritura para la reflexión, que está tomado de la lectura del evangelio para ese día. Esta LECTURA se puede repetir unas cuantas veces para ayudar a que penetre. Después se ofrece una serie de tres preguntas para ayudar en la MEDITACIÓN. Estas preguntas también podrían facilitar el compartir sobre el pasaje en grupo. La persona luego ofrece su ORACIÓN personal, en respuesta al Señor. En un contexto de grupo, las personas pueden expresar sus oraciones de una en una—esto puede ayudar a profundizar la respuesta de oración y a centrar la atención del grupo en el Señor.

Luego se ofrecen una serie de pasajes y preguntas para ayudar al lector a regresar al pasaje del evangelio. Esto invita al lector a contemplar lo que está diciendo el Señor y lo que significa para la propia vida. Permite a la persona o al grupo considerar las maneras específicas en que el Señor podría estar hablando a sus vidas en ese preciso momento. A medida que la persona escucha una respuesta del Señor—la palabra del Señor dicha personal y directamente para él o ella—esa persona puede empezar a dejar que la palabra fluya en su vida, por un cambio interior y una voluntad de hacer lo que Dios está pidiéndoles.

A través de ese paso de CONTEMPLACIÓN, escuchamos la voz de Dios que nos habla y nos impulsa a la conversión de mente y corazón.

Después de la oración de conclusión, se da un tiempo a elegir cómo vivir el fruto de la oración. Usted conoce su propio corazón y vida mejor que nadie—si está claro lo que Dios le está pidiendo, en fe, escoja alguna manera en que pueda poner esa petición o enseñanza del Señor en acción en esa semana. Podría ser que el Señor estuviera pidiendo un pequeño acto de fe, o quizá un paso más serio e importante que le está pidiendo que dé. Si no hay nada específico que se le ocurra, considere la sugerencia que se ofrece en la sección Viviendo la Palabra esta semana. Esta porción ofrece orientación sobre qué acciones concretas se pueden tomar en la vida diaria.

Lectio Divina de los Evangelios para el Año Litúrgico ofrece un modelo de lectura orante de la Palabra de Dios. Al comenzar este camino, que la bendición del Señor lo acompañe y caiga sobre usted, a través del movimiento de los tiempos en este nuevo año litúrgico y que su vida, a su vez, se convierta en bendición para los demás.

Lectio

Divina

de los

Evangelios

28 de noviembre 2021

Lectio Divina para la Primera Semana de Adviento

Empecemos nuestra oración:

En el nombre del Padre, y del Hijo, y del Espíritu Santo. Amén.

Extiende, Señor Jesucristo, tu poder y ven,
para que merezcamos que con tu protección
nos libres y nos salves
de los peligros que nos amenazan
a causa de nuestros pecados.
Tú que vives y reinas con el Padre en la unidad del Espíritu Santo
y eres Dios por los siglos de los siglos.

Oración colecta, Viernes de la I semana de Adviento

Lectura (*Lectio*)

Lee la siguiente Escritura dos o tres veces.

Lucas 21, 25-28. 34-36

En aquel tiempo, Jesús dijo a sus discípulos: "Habrá señales prodigiosas en el sol, en la luna y en las estrellas. En la tierra, las naciones se llenarán de angustia y de miedo por el estruendo de las olas del mar; la gente se morirá de terror y de angustiosa espera por las cosas que vendrán sobre el mundo, pues hasta las estrellas se bambolearán. Entonces verán venir al Hijo del hombre en una nube, con gran poder y majestad.

Cuando estas cosas comiencen a suceder, pongan atención y levanten la cabeza, porque se acerca la hora de su liberación. Estén alerta, para que los vicios, con el libertinaje, la embriaguez y las preocupaciones de esta vida no entorpezcan su mente y aquel día los sorprenda desprevenidos; porque caerá de repente como una trampa sobre todos los habitantes de la tierra.

Velen, pues, y hagan oración continuamente, para que puedan escapar de todo lo que ha de suceder y comparecer seguros ante el Hijo del hombre.

Meditación (*Meditatio*)

Después de la lectura, toma unos momentos para reflexionar en silencio acerca de una o más de las siguientes preguntas:

- ¿Cuál palabra o palabras en este pasaje captaron tu atención?
- ¿Qué parte en este pasaje te consoló?
- ¿Qué parte en este pasaje te desafió?

Si practicas la lectio divina como familia o en un grupo, luego del tiempo de reflexión, invita a los participantes a compartir sus respuestas.

Oración (*Oratio*)

Lee el pasaje de la Escritura una vez más. Dale al Señor la alabanza, petición y acción de gracias que la Palabra te ha inspirado.

Contemplación (*Contemplatio*)

Lee nuevamente el pasaje de la Escritura, seguida de esta reflexión:

~ ¿Qué conversión de la mente, del corazón y de la vida me pide el Señor?

~ *Habrá señales prodigiosas en el sol, en la luna y en las estrellas.* ¿Cómo experimento la presencia y majestad de Dios en la naturaleza? ¿Cómo puedo ser más consciente del don de Dios en la creación?

~ *Entonces verán venir al Hijo del hombre en una nube, con gran poder y majestad.* ¿En qué momento he sido más consciente de la fuerza de Dios obrando en mi vida? ¿Cómo dan gloria a Dios mis acciones?

_____

_____

_____

_____

~ *Pongan atención y levanten la cabeza, porque se acerca la hora de su liberación.* ¿Cómo puedo crecer en mi deseo de salvación? En este Adviento, ¿cómo puedo preparar mi corazón para la venida de Cristo?

_____

_____

_____

_____

~ *Después de unos momentos de reflexión en silencio, todos recen la Oración del Señor y la siguiente:*

Oración final

Descúbrenos, Señor, tus caminos,
guíanos con la verdad de tu doctrina.
Tú eres nuestro Dios y salvador
y tenemos en ti nuestra esperanza.

Porque el Señor es recto y bondadoso,
indica a los pecadores el sendero,
guía por la senda recta a los humildes
y descubre a los pobres sus caminos.

Con quien guarda su alianza y sus mandatos,
el Señor es leal y bondadoso.
El Señor se descubre a quien lo teme
y enseña el sentido de su alianza.

Del Salmo 24

Vivir la Palabra esta semana

¿Cómo puedo convertir mi vida en un don de caridad para los demás?

Antes de ir a dormir todas las noches de esta semana, reflexiona sobre tu día para estar más atento a la obra de Dios en tu vida.

5 de diciembre 2021

Lectio Divina para la Segunda Semana de Adviento

Empecemos nuestra oración:

En el nombre del Padre, y del Hijo, y del Espíritu Santo. Amén.

Señor Dios, que anunciaste la llegada de tu salvación
hasta en los últimos rincones de la tierra,
concédenos estar preparados
para esperar con gran alegría el glorioso nacimiento de tu Hijo.
Él, que vive y reina contigo en la unidad del Espíritu Santo
y es Dios por los siglos de los siglos.

Oración colecta, Martes de la II semana de Adviento

Lectura (*Lectio*)

Lee la siguiente Escritura dos o tres veces.

Lc 3, 1-6

En el año décimo quinto del reinado del César Tiberio, siendo Poncio Pilato procurador de Judea; Herodes, tetrarca de Galilea; su hermano Filipo, tetrarca de las regiones de Iturea y Traconítide; y Lisanias, tetrarca de Abilene; bajo el pontificado de los sumos sacerdotes Anás y Caifás, vino la palabra de Dios en el desierto sobre Juan, hijo de Zacarías.

Entonces comenzó a recorrer toda la comarca del Jordán, predicando un bautismo de penitencia para el perdón de los pecados, como está escrito en el libro de las predicciones del profeta Isaías:

Ha resonado una voz en el desierto:
Preparen el camino del Señor,
hagan rectos sus senderos.
Todo valle será rellenado,
toda montaña y colina, rebajada;
lo tortuoso se hará derecho,
los caminos ásperos serán allanados
y todos los hombres verán la salvación de Dios.

Meditación (*Meditatio*)

Después de la lectura, toma unos momentos para reflexionar en silencio acerca de una o más de las siguientes preguntas:

- ¿Cuál palabra o palabras en este pasaje captaron tu atención?
- ¿Qué parte en este pasaje te consoló?
- ¿Qué parte en este pasaje te desafió?

Si practicas la lectio divina como familia o en un grupo, luego del tiempo de reflexión, invita a los participantes a compartir sus respuestas.

Oración (*Oratio*)

Lee el pasaje de la Escritura una vez más. Dale al Señor la alabanza, petición y acción de gracias que la Palabra te ha inspirado.

Contemplación (*Contemplatio*)

Lee nuevamente el pasaje de la Escritura, seguida de esta reflexión:

~ ¿Qué conversión de la mente, del corazón y de la vida me pide el Señor?

_____

_____

_____

_____

~ *Entonces comenzó a recorrer toda la comarca del Jordán.* ¿A dónde me está llamando Dios? ¿A qué áreas de mi vecindario, parroquia, o lugar de trabajo puedo llevar compasión y un servicio amoroso?

_____

_____

_____

_____

~ *Ha resonado una voz en el desierto.* ¿En qué momentos me he sentido como una voz que clama en el desierto? ¿Cuándo he dejado de usar mi voz cuando debería haberlo hecho?

_____

_____

_____

_____

~ *Todos los hombres verán la salvación de Dios.* ¿Cómo puedo estar más abierto al encuentro con Jesús? ¿A quién puedo ayudar a encontrarse con Jesús?

_____

_____

_____

_____

~ *Después de unos momentos de reflexión en silencio, todos recen la Oración del Señor y la siguiente:*

Oración final

Cuando el Señor nos hizo volver del cautiverio,
creíamos soñar;
entonces no cesaba de reír nuestra boca,
ni se cansaba entonces la lengua de cantar.

Aun los mismos paganos con asombro decían:
"¡Grandes cosas ha hecho por ellos el Señor!"
Y estábamos alegres,
pues ha hecho grandes cosas por su pueblo el Señor.

Como cambian los ríos la suerte del desierto,
cambia también ahora nuestra suerte, Señor,
y entre gritos de júbilo
cosecharán aquellos que siembran con dolor.

Al ir, iban llorando, cargando la semilla;
al regresar, cantando vendrán con sus gavillas.

Del Salmo 126

Vivir la Palabra esta semana

¿Cómo puedo convertir mi vida en un don de caridad para los demás?

Invita a alguien a unirse a ti en Misa o en una clase de Adviento o servicio de oración de la parroquia.

8 de diciembre 2021

Lectio Divina para la Solemnidad de la Inmaculada Concepción de la Bienaventurada Virgen María

Empecemos nuestra oración:

En el nombre del Padre, y del Hijo, y del Espíritu Santo. Amén.

Dios nuestro,
que por la Inmaculada Concepción de la Virgen María
preparaste una digna morada para tu Hijo
y, en previsión de la muerte redentora de Cristo,
la preservaste de toda mancha de pecado,
concédenos que, por su intercesión, nosotros también,
purificados de todas nuestras culpas, lleguemos hasta ti.
Por nuestro Señor Jesucristo, tu Hijo,
que vive y reina contigo en la unidad del Espíritu Santo
y es Dios por los siglos de los siglos.

Oración colecta, Solemnidad de la Inmaculada Concepción

Lectura (*Lectio*)

Lee la siguiente Escritura dos o tres veces.

Lucas 1, 26-38

En aquel tiempo, el ángel Gabriel fue enviado por Dios a una ciudad de Galilea, llamada Nazaret, a una virgen desposada con un varón de la estirpe de David, llamado José. La virgen se llamaba María.

Entró el ángel a donde ella estaba y le dijo: "Alégrate, llena de gracia, el Señor está contigo". Al oír estas palabras, ella se preocupó mucho y se preguntaba qué querría decir semejante saludo.

El ángel le dijo: "No temas, María, porque has hallado gracia ante Dios. Vas a concebir y a dar a luz un hijo y le pondrás por nombre Jesús. Él será grande y será llamado Hijo del Altísimo; el Señor Dios le dará el trono de David, su padre, y él reinará sobre la casa de Jacob por los siglos y su reinado no tendrá fin".

María le dijo entonces al ángel: "¿Cómo podrá ser esto, puesto que yo permanezco virgen?" El ángel le contestó: "El Espíritu Santo descenderá sobre ti y el poder del Altísimo te cubrirá con su sombra. Por eso, el Santo, que va a nacer de ti, será llamado Hijo de Dios. Ahí tienes a tu parienta Isabel, que, a pesar de su vejez, ha concebido un hijo y ya va en el sexto mes la que llamaban estéril, porque no hay nada imposible para Dios". María contestó: "Yo soy la esclava del Señor; cúmplase en mí lo que me has dicho". Y el ángel se retiró de su presencia.

Meditación (*Meditatio*)

Después de la lectura, toma unos momentos para reflexionar en silencio acerca de una o más de las siguientes preguntas:

- ¿Cuál palabra o palabras en este pasaje captaron tu atención?
- ¿Qué parte en este pasaje te consoló?
- ¿Qué parte en este pasaje te desafió?

Si practicas la lectio divina como familia o en un grupo, luego del tiempo de reflexión, invita a los participantes a compartir sus respuestas.

Oración (*Oratio*)

Lee el pasaje de la Escritura una vez más. Dale al Señor la alabanza, petición y acción de gracias que la Palabra te ha inspirado.

Contemplación (*Contemplatio*)

Lee nuevamente el pasaje de la Escritura, seguida de esta reflexión:

≈ ¿Qué conversión de la mente, del corazón y de la vida me pide el Señor?

_____

_____

_____

_____

~ *Porque has hallado gracia ante Dios.* ¿En qué momentos he sentido el favor de Dios en mi vida? ¿Cómo puedo reconocer la presencia de Dios y su favor en aquellos con quienes me encuentro?

_____

_____

_____

_____

~ *El poder del Altísimo te cubrirá con su sombra.* ¿Cómo he experimentado la fuerza de Dios en mi vida? ¿Cuál es mi respuesta al poder y la majestad de Dios?

_____

_____

_____

_____

~ *Ya va en el sexto mes la que llamaban estéril.* ¿En qué momentos he sentido que mi vida de oración era estéril y seca? ¿Qué cambios en mi estilo de vida puedo hacer para priorizar mi relación con Dios?

_____

_____

_____

_____

~ *Después de unos momentos de reflexión en silencio, todos recen la Oración del Señor y la siguiente:*

Oración final

Cantemos al Señor un canto nuevo,
pues ha hecho maravillas:
Su diestra y su santo brazo
le han dado la victoria.

El Señor ha dado a conocer su victoria
y ha revelado a las naciones su justicia.
Una vez más ha demostrado Dios
su amor y su lealtad hacia Israel.

La tierra entera ha contemplado
la victoria de nuestro Dios.
Que todos los pueblos y naciones
aclamen con júbilo al Señor.

Del Salmo 97

Vivir la Palabra esta semana

¿Cómo puedo convertir mi vida en un don de caridad para los demás?

Reza el rosario por las intenciones de quienes han alimentado tu fe.

12 de diciembre 2021

Lectio Divina para la Tercera Semana de Adviento

Empecemos nuestra oración:

En el nombre del Padre, y del Hijo, y del Espíritu Santo. Amén.

Concédenos, Dios todopoderoso,
que la cercana celebración del nacimiento de tu Hijo
nos obtenga un remedio en la vida presente
y tu premio en la eternidad.
Por nuestro Señor Jesucristo, tu Hijo,
que vive y reina contigo en la unidad del Espíritu Santo
y es Dios por los siglos de los siglos.

Oración colecta, Miércoles de la III semana de Adviento

Lectura (*Lectio*)

Lee la siguiente Escritura dos o tres veces.

Lucas 3, 10-18

En aquel tiempo, la gente le preguntaba a Juan el Bautista: "¿Qué debemos hacer?" Él contestó: "Quien tenga dos túnicas, que dé una al que no tiene ninguna, y quien tenga comida, que haga lo mismo".

También acudían a él los publicanos para que los bautizara, y le preguntaban: "Maestro, ¿qué tenemos que hacer nosotros?" Él les decía: "No cobren más de lo establecido". Unos soldados le preguntaron: "Y nosotros, ¿qué tenemos que hacer?" Él les dijo: "No extorsionen a nadie, ni denuncien a nadie falsamente, sino conténtense con su salario".

Como el pueblo estaba en expectación y todos pensaban que quizá Juan era el Mesías, Juan los sacó de dudas, diciéndoles: "Es cierto que yo bautizo con agua, pero ya viene otro más poderoso que yo, a quien no merezco desatarle las correas de sus sandalias. Él los bautizará con el Espíritu Santo y con fuego. Él tiene el bieldo en la mano para separar el trigo de la paja; guardará el trigo en su granero y quemará la paja en un fuego que no se extingue".

Con éstas y otras muchas exhortaciones anunciaba al pueblo la buena nueva.

Meditación (*Meditatio*)

Después de la lectura, toma unos momentos para reflexionar en silencio acerca de una o más de las siguientes preguntas:

- ¿Cuál palabra o palabras en este pasaje captaron tu atención?
- ¿Qué parte en este pasaje te consoló?
- ¿Qué parte en este pasaje te desafió?

Si practicas la lectio divina como familia o en un grupo, luego del tiempo de reflexión, invita a los participantes a compartir sus respuestas.

Oración (*Oratio*)

Lee el pasaje de la Escritura una vez más. Dale al Señor la alabanza, petición y acción de gracias que la Palabra te ha inspirado.

Contemplación (*Contemplatio*)

Lee nuevamente el pasaje de la Escritura, seguida de esta reflexión:

~ ¿Qué conversión de la mente, del corazón y de la vida me pide el Señor?

_____

_____

_____

_____

≈ *"No extorsionen a nadie, ni denuncien a nadie falsamente, sino conténtense con su salario"*. ¿Cómo puedo ser más amable y más sincero en mis palabras? ¿De qué modos estropean la envidia y la ambición mi relación con los bienes materiales?

_____

_____

_____

_____

≈ *Como el pueblo estaba en expectación.* ¿Qué cosas espero? ¿De qué maneras llena mis deseos mi fe en Dios?

_____

_____

_____

_____

≈ *Él tiene el bieldo en la mano para separar el trigo de la paja; guardará el trigo en su granero.* ¿Qué partes pecaminosas de mi vida deben ser cribadas? ¿Qué dones espirituales aprecio más?

_____

_____

❧ Después de unos momentos de reflexión en silencio, todos recen la Oración del Señor y la siguiente:

Oración final

El Señor es mi Dios y salvador,
con él estoy seguro y nada temo.
El Señor es mi protección y mi fuerza
y ha sido mi salvación.
Sacarán agua con gozo
de la fuente de salvación.

Den gracias al Señor,
invoquen su nombre,
cuenten a los pueblos sus hazañas,
proclamen que su nombre es sublime.

Alaben al Señor por sus proezas,
anúncienlas a toda la tierra.
Griten jubilosos, habitantes de Sión,
porque el Dios de Israel
ha sido grande con ustedes.

De Isaías 12

Vivir la Palabra esta semana

¿Cómo puedo convertir mi vida en un don de caridad para los demás?

Haz un buen examen de conciencia y planifica recibir el Sacramento de la Penitencia antes de la Navidad.

19 de diciembre 2021

Lectio Divina para la Cuarta Semana de Adviento

Empecemos nuestra oración:

En el nombre del Padre, y del Hijo, y del Espíritu Santo. Amén.

Dios todopoderoso y eterno,
al contemplar ya próximo
el nacimiento de tu Hijo, según la carne,
te pedimos que él, que es tu Palabra
encarnada en el seno de la Virgen María
y que habitó entre nosotros, indignos siervos tuyos,
nos haga partícipes de la abundancia de su misericordia.
Él, que vive y reina contigo en la unidad del Espíritu Santo
y es Dios por los siglos de los siglos.

Oración colecta, 23 de diciembre

Lectura (*Lectio*)

Lee la siguiente Escritura dos o tres veces.

Lucas 1, 39-45

En aquellos días, María se encaminó presurosa a un pueblo de las montañas de Judea y, entrando en la casa de Zacarías, saludó a Isabel. En cuanto ésta oyó el saludo de María, la creatura saltó en su seno.

Entonces Isabel quedó llena del Espíritu Santo y, levantando la voz, exclamó: "¡Bendita tú entre las mujeres y bendito el fruto de tu vientre! ¿Quién soy yo, para que la madre de mi Señor venga a verme? Apenas llegó tu saludo a mis oídos, el niño saltó de gozo en mi seno. Dichosa tú, que has creído, porque se cumplirá cuanto te fue anunciado de parte del Señor".

Meditación (*Meditatio*)

Después de la lectura, toma unos momentos para reflexionar en silencio acerca de una o más de las siguientes preguntas:

- ¿Cuál palabra o palabras en este pasaje captaron tu atención?
- ¿Qué parte en este pasaje te consoló?
- ¿Qué parte en este pasaje te desafió?

Si practicas la lectio divina como familia o en un grupo, luego del tiempo de reflexión, invita a los participantes a compartir sus respuestas.

Oración (*Oratio*)

Lee el pasaje de la Escritura una vez más. Dale al Señor la alabanza, petición y acción de gracias que la Palabra te ha inspirado.

Contemplación (*Contemplatio*)

Lee nuevamente el pasaje de la Escritura, seguida de esta reflexión:

~ ¿Qué conversión de la mente, del corazón y de la vida me pide el Señor?

_____

_____

_____

_____

~ *María se encaminó presurosa a un pueblo de las montañas de Judea.*
¿En qué momentos me he acercado presuroso a Dios? ¿Cuándo voy presuroso a ayudar a mis hermanos y hermanas?

_____

_____

_____

_____

~ *En cuanto [Isabel] oyó el saludo de María, la creatura saltó en su seno.* ¿Cómo he escuchado a Dios que me hablaba? ¿Cómo he respondido a la voz de Dios?

_____

_____

_____

_____

~ *¡Bendita tú entre las mujeres y bendito el fruto de tu vientre!* ¿Por cuáles bendiciones estoy más agradecido? ¿Cómo han dado fruto en mi vida las bendiciones de Dios?

_____

_____

_____

_____

~ *Después de unos momentos de reflexión en silencio, todos recen la Oración del Señor y la siguiente:*

Oración final

Escúchanos, pastor de Israel;
tú que estás rodeado de querubines,
manifiéstate;
despierta tu poder y ven a salvarnos.

Señor, Dios de los ejércitos, vuelve tus ojos,
mira tu viña y visítala;
protege la cepa plantada por tu mano,
el renuevo que tú mismo cultivaste.

Que tu diestra defienda al que elegiste,
al hombre que has fortalecido.
Ya no nos alejaremos de ti;
consérvanos la vida y alabaremos tu poder.

Del Salmo 79

Vivir la Palabra esta semana

¿Cómo puedo convertir mi vida en un don de caridad para los demás?

Investiga sobre las actividades pro-vida en tu parroquia o diócesis y
discierne en oración cómo podrías comprometerte más.

25 de diciembre 2021

Lectio Divina para la Solemnidad de la Natividad del Señor

Empecemos nuestra oración:

En el nombre del Padre, y del Hijo, y del Espíritu Santo. Amén.

Concede, Dios todopoderoso,
que, al vernos envueltos en la luz nueva
de tu Palabra hecha carne,
resplandezca por nuestras buenas obras,
lo que por la fe brilla en nuestras almas.
Por nuestro Señor Jesucristo, tu Hijo,
que vive y reina contigo en la unidad del Espíritu Santo
y es Dios por los siglos de los siglos.

Oración colecta, Natividad, Misa de la aurora

Lectura (*Lectio*)

Lee la siguiente Escritura dos o tres veces.

Lucas 2, 1-14

Por aquellos días, se promulgó un edicto de César Augusto, que ordenaba un censo de todo el imperio. Este primer censo se hizo cuando Quirino era gobernador de Siria. Todos iban a empadronarse, cada uno en su propia ciudad; así es que también José, perteneciente a la casa y familia de David, se dirigió desde la ciudad de Nazaret, en Galilea, a la ciudad de David, llamada Belén, para empadronarse, juntamente con María, su esposa, que estaba encinta.

Mientras estaban ahí, le llegó a María el tiempo de dar a luz y tuvo a su hijo primogénito; lo envolvió en pañales y lo recostó en un pesebre, porque no hubo lugar para ellos en la posada.

En aquella región había unos pastores que pasaban la noche en el campo, vigilando por turno sus rebaños. Un ángel del Señor se les apareció y la gloria de Dios los envolvió con su luz y se llenaron de temor. El ángel les dijo: "No teman. Les traigo una buena noticia, que causará gran alegría a todo el pueblo: hoy les ha nacido, en la ciudad de David, un Salvador, que es el Mesías, el Señor. Esto les servirá de señal: encontrarán al niño envuelto en pañales y recostado en un pesebre".

De pronto se le unió al ángel una multitud del ejército celestial, que alababa a Dios, diciendo: "¡Gloria a Dios en el cielo, y en la tierra paz a los hombres de buena voluntad!"

Meditación (*Meditatio*)

Después de la lectura, toma unos momentos para reflexionar en silencio acerca de una o más de las siguientes preguntas:

- ¿Cuál palabra o palabras en este pasaje captaron tu atención?
- ¿Qué parte en este pasaje te consoló?
- ¿Qué parte en este pasaje te desafió?

Si practicas la lectio divina como familia o en un grupo, luego del tiempo de reflexión, invita a los participantes a compartir sus respuestas.

Oración (*Oratio*)

Lee el pasaje de la Escritura una vez más. Dale al Señor la alabanza, petición y acción de gracias que la Palabra te ha inspirado.

Contemplación (*Contemplatio*)

Lee nuevamente el pasaje de la Escritura, seguida de esta reflexión:

~ ¿Qué conversión de la mente, del corazón y de la vida me pide el Señor?

_____

_____

_____

_____

~ No *hubo lugar para ellos en la posada.* ¿Para quién debería hacer espacio en mi vida y en mi corazón? ¿Cómo puedo ser más acogedor hacia aquellos con quienes me encuentro?

_____

_____

_____

_____

~ No *teman. Les traigo una buena noticia, que causará gran alegría a todo el pueblo.* ¿Qué temores y preocupaciones me impiden proclamar el Evangelio? ¿Cómo puedo ser más diligente sobre el compartir mi fe?

_____

_____

_____

_____

~ *"¡Gloria a Dios en el cielo, y en la tierra paz a los hombres de buena voluntad!"* ¿Cómo puede dar gloria a Dios mi vida? ¿Cómo puedo ser mensajero de la paz de Dios?

_____

_____

~ *Después de unos momentos de reflexión en silencio, todos recen la Oración del Señor y la siguiente:*

Oración final

Cantemos al Señor un canto nuevo,
que le cante al Señor toda la tierra;
cantemos al Señor y bendigámoslo.

Proclamemos su amor día tras día,
su grandeza anunciemos a los pueblos;
de nación, sus maravillas.

Alégrense los cielos y la tierra,
retumbe el mar y el mundo submarino.
Salten de gozo el campo y cuanto encierra,
manifiesten los bosques regocijo.

Regocíjese todo ante el Señor,
porque ya viene a gobernar el orbe.
Justicia y rectitud serán las normas
con las que rija a todas las naciones.

Del Salmo 95

Vivir la Palabra esta semana

¿Cómo puedo convertir mi vida en un don de caridad para los demás?

Lee *Discípulos llamados a dar testimonio*: (*https://www.usccb.org/ beliefs-and-teachings/how-we-teach/new-evangelization/disciples-called -to-witness/upload/DCW-Spanish.pdf*) y reflexiona sobre los modos en los que puedes poner sus sugerencias en acción.

26 de diciembre 2021

Lectio Divina para la Fiesta de la Sagrada Familia

Empecemos nuestra oración:

En el nombre del Padre, y del Hijo, y del Espíritu Santo. Amén.

Señor Dios, que te dignaste dejarnos el más perfecto ejemplo
en la Sagrada Familia de tu Hijo,
concédenos benignamente
que, imitando sus virtudes domésticas y los lazos de caridad que
     la unió,
podamos gozar de la eterna recompensa en la alegría de tu casa.
Por nuestro Señor Jesucristo, tu Hijo,
que vive y reina contigo en la unidad del Espíritu Santo
y es Dios por los siglos de los siglos.

Oración colecta, Fiesta de la Sagrada Familia

Lectura (*Lectio*)

Lee la siguiente Escritura dos o tres veces.

Lucas 2, 41-52

Los padres de Jesús solían ir cada año a Jerusalén para las festividades de la Pascua. Cuando el niño cumplió doce años, fueron a la fiesta, según la costumbre. Pasados aquellos días, se volvieron, pero el niño Jesús se quedó en Jerusalén, sin que sus padres lo supieran. Creyendo que iba en la caravana, hicieron un día de camino; entonces lo buscaron, y al no encontrarlo, regresaron a Jerusalén en su busca.

Al tercer día lo encontraron en el templo, sentado en medio de los doctores, escuchándolos y haciéndoles preguntas. Todos los que lo oían se admiraban de su inteligencia y de sus respuestas. Al verlo, sus padres se quedaron atónitos y su madre le dijo: "Hijo mío, ¿por qué te has portado así con nosotros? Tu padre y yo te hemos estado buscando llenos de angustia". Él les respondió: "¿Por qué me andaban buscando? ¿No sabían que debo ocuparme en las cosas de mi Padre?" Ellos no entendieron la respuesta que les dio. Entonces volvió con ellos a Nazaret y siguió sujeto a su autoridad. Su madre conservaba en su corazón todas aquellas cosas.

Jesús iba creciendo en saber, en estatura y en el favor de Dios y de los hombres.

Meditación (*Meditatio*)

Después de la lectura, toma unos momentos para reflexionar en silencio acerca de una o más de las siguientes preguntas:

- ¿Cuál palabra o palabras en este pasaje captaron tu atención?
- ¿Qué parte en este pasaje te consoló?
- ¿Qué parte en este pasaje te desafió?

Si practicas la lectio divina como familia o en un grupo, luego del tiempo de reflexión, invita a los participantes a compartir sus respuestas.

Oración (*Oratio*)

Lee el pasaje de la Escritura una vez más. Dale al Señor la alabanza, petición y acción de gracias que la Palabra te ha inspirado.

Contemplación (*Contemplatio*)

Lee nuevamente el pasaje de la Escritura, seguida de esta reflexión:

≈ ¿Qué conversión de la mente, del corazón y de la vida me pide el Señor?

_____

_____

_____

_____

~ *Todos los que lo oían se admiraban de su inteligencia y de sus respuestas.* ¿Qué fuentes uso para aprender sobre mi fe? ¿Qué guías espirituales han enriquecido mi comprensión?

_____

_____

_____

_____

~ *Ellos no entendieron la respuesta que les dio.* ¿En qué momentos he fallado en mi comprensión de la fe? ¿Cómo puedo remediar estas limitaciones?

_____

_____

_____

_____

~ *Jesús iba creciendo en saber, en estatura y en el favor de Dios y de los hombres.* ¿Cómo puedo crecer en sabiduría? ¿Cómo he vivido el favor de Dios?

_____

_____

_____

_____

~ Después de unos momentos de reflexión en silencio, todos recen la Oración del Señor y la siguiente:

Oración final

Anhelando los atrios del Señor
se consume mi alma.
Todo mi ser de gozo se estremece
y el Dios vivo es la causa.

Dichosos los que viven en tu casa,
te alabarán para siempre;
dichosos los que encuentran en ti su fuerza
y la esperanza de su corazón.

Escucha mi oración, Señor de los ejércitos;
Dios de Jacob, atiéndeme.
Míranos, Dios y protector nuestro,
y contempla el rostro de tu Mesías.

Del Salmo 83

Vivir la Palabra esta semana

¿Cómo puedo convertir mi vida en un don de caridad para los demás?

Haz un plan para crecer en el conocimiento y la práctica de tu fe en el año nuevo, a través de lecturas, clases y acción apostólica.

1° de enero 2022

Lectio Divina para la Solemnidad de María Santísima, Madre de Dios

Empecemos nuestra oración:

En el nombre del Padre, y del Hijo, y del Espíritu Santo. Amén.

Dios todopoderoso y eterno,
esplendor de las almas fieles,
dígnate por tu bondad llenar al mundo de tu gloria
y manifiéstate a todos los pueblos con la claridad de tu luz.
Por nuestro Señor Jesucristo, tu Hijo,
que vive y reina contigo en la unidad del Espíritu Santo
y es Dios por los siglos de los siglos.

Oración Colecta, II Domingo después de Navidad

Lectura (*Lectio*)

Lee la siguiente Escritura dos o tres veces.

Lucas 2, 16-21

En aquel tiempo, los pastores fueron a toda prisa hacia Belén y encontraron a María, a José y al niño, recostado en el pesebre. Después de verlo, contaron lo que se les había dicho de aquel niño, y cuantos los oían quedaban maravillados. María, por su parte, guardaba todas estas cosas y las meditaba en su corazón.

Los pastores se volvieron a sus campos, alabando y glorificando a Dios por todo cuanto habían visto y oído, según lo que se les había anunciado.

Cumplidos los ocho días, circuncidaron al niño y le pusieron el nombre de Jesús, aquel mismo que había dicho el ángel, antes de que el niño fuera concebido.

Meditación (*Meditatio*)

Después de la lectura, toma unos momentos para reflexionar en silencio acerca de una o más de las siguientes preguntas:

- ¿Cuál palabra o palabras en este pasaje captaron tu atención?
- ¿Qué parte en este pasaje te consoló?
- ¿Qué parte en este pasaje te desafió?

Si practicas la lectio divina como familia o en un grupo, luego del tiempo de reflexión, invita a los participantes a compartir sus respuestas.

Oración (*Oratio*)

Lee el pasaje de la Escritura una vez más. Dale al Señor la alabanza, petición y acción de gracias que la Palabra te ha inspirado.

Contemplación (*Contemplatio*)

Lee nuevamente el pasaje de la Escritura, seguida de esta reflexión:

≈ ¿Qué conversión de la mente, del corazón y de la vida me pide el Señor?

_____

_____

_____

_____

≈ *Los pastores . . . encontraron a María, a José y al niño, recostado en el pesebre.* ¿Dónde encuentro yo a Dios? ¿Cómo puedo estar más atento a la presencia de Dios?

_____

_____

_____

_____

~ *Los pastores se volvieron a sus campos, alabando y glorificando a Dios por todo cuanto habían visto y oído.* ¿Por qué cosas alabaré a Dios esta semana? ¿Cómo puedo ayudar a otros a encontrar la gloria de Dios?

_____

_____

_____

_____

~ *Según lo que se les había anunciado.* ¿En qué momentos me ha cumplido Dios sus promesas? ¿Cómo crezco en mi confianza en Dios y en sus promesas?

_____

_____

_____

_____

~ *Después de unos momentos de reflexión en silencio, todos recen la Oración del Señor y la siguiente:*

Oración final

Ten piedad de nosotros, y bendícenos;
vuelve, Señor, tus ojos a nosotros.
Que conozca la tierra tu bondad
y los pueblos tu obra salvadora.

Las naciones con júbilo te canten,
porque juzgas al mundo con justicia;
con equidad tú juzgas a los pueblos
y riges en la tierra a las naciones.

Que te alaben, Señor, todos los pueblos,
que los pueblos te aclamen todos juntos.
Que nos bendiga Dios
y que le rinda honor el mundo entero.

Del Salmo 66

Vivir la Palabra esta semana

¿Cómo puedo convertir mi vida en un don de caridad para los demás?

En el año nuevo, decide orar ante Jesús presente en el Santísimo
Sacramento al menos una vez al mes.

2 de enero 2022

Lectio Divina para la Solemnidad de la Epifanía del Señor

Empecemos nuestra oración:

En el nombre del Padre, y del Hijo, y del Espíritu Santo. Amén.

Te rogamos, Señor,
que ilumine nuestros corazones el esplendor de tu majestad,
para que, venciendo las tinieblas de nuestro mundo,
lleguemos a la patria de la eterna claridad.
Por nuestro Señor Jesucristo, tu Hijo,
que vive y reina contigo en la unidad del Espíritu Santo
y es Dios por los siglos de los siglos.

Oración colecta, Solemnidad de la Epifanía, Misa vespertina de la vigilia

Lectura (*Lectio*)

Lee la siguiente Escritura dos o tres veces.

Mateo 2, 1-12

Jesús nació en Belén de Judá, en tiempos del rey Herodes. Unos magos de oriente llegaron entonces a Jerusalén y preguntaron: "¿Dónde está el rey de los judíos que acaba de nacer? Porque vimos surgir su estrella y hemos venido a adorarlo".

Al enterarse de esto, el rey Herodes se sobresaltó y toda Jerusalén con él. Convocó entonces a los sumos sacerdotes y a los escribas del pueblo y les preguntó dónde tenía que nacer el Mesías. Ellos le contestaron: "En Belén de Judá, porque así lo ha escrito el profeta: *Y tú, Belén, tierra de Judá, no eres en manera alguna la menor entre las ciudades ilustres de Judá, pues de ti saldrá un jefe, que será el pastor de mi pueblo, Israel*".

Entonces Herodes llamó en secreto a los magos, para que le precisaran el tiempo en que se les había aparecido la estrella y los mandó a Belén, diciéndoles: "Vayan a averiguar cuidadosamente qué hay de ese niño y, cuando lo encuentren, avísenme para que yo también vaya a adorarlo".

Después de oír al rey, los magos se pusieron en camino, y de pronto la estrella que habían visto surgir, comenzó a guiarlos, hasta que se detuvo encima de donde estaba el niño. Al ver de nuevo la estrella, se llenaron de inmensa alegría. Entraron en la casa y vieron al niño con María, su madre, y postrándose, lo adoraron. Después, abriendo sus cofres, le ofrecieron regalos: oro, incienso y mirra. Advertidos durante el sueño de que no volvieran a Herodes, regresaron a su tierra por otro camino.

Meditación (*Meditatio*)

Después de la lectura, toma unos momentos para reflexionar en silencio acerca de una o más de las siguientes preguntas:

- ¿Cuál palabra o palabras en este pasaje captaron tu atención?
- ¿Qué parte en este pasaje te consoló?
- ¿Qué parte en este pasaje te desafió?

Si practicas la lectio divina como familia o en un grupo, luego del tiempo de reflexión, invita a los participantes a compartir sus respuestas.

Oración (*Oratio*)

Lee el pasaje de la Escritura una vez más. Dale al Señor la alabanza, petición y acción de gracias que la Palabra te ha inspirado.

Contemplación (*Contemplatio*)

Lee nuevamente el pasaje de la Escritura, seguida de esta reflexión:

≈ ¿Qué conversión de la mente, del corazón y de la vida me pide el Señor?

_____

_____

_____

_____

~ *Al enterarse de esto, el rey Herodes se sobresaltó y toda Jerusalén con él.* ¿Qué acontecimientos o circunstancias me causan ansiedad? ¿Cómo puedo ser alguien que trae la paz a mi comunidad?

_____

_____

_____

_____

~ *Vayan a averiguar cuidadosamente qué hay de ese niño.* ¿Qué busco? ¿Cómo puedo ser más diligente en mis esfuerzos por crecer en la santidad?

_____

_____

_____

_____

~ *Y postrándose, lo adoraron.* ¿Cómo muestro honor y reverencia a Dios? ¿Cómo puedo crecer en humildad?

_____

_____

_____

_____

~ Después de unos momentos de reflexión en silencio, todos recen la Oración del Señor y la siguiente:

Oración final

Comunica, Señor, al rey tu juicio
y tu justicia, al que es hijo de reyes;
así tu siervo saldrá en defensa de tus pobres
y regirá a tu pueblo justamente.

Florecerá en sus días la justicia
y reinará la paz, era tras era.
De mar a mar se extenderá su reino
y de un extremo al otro de la tierra.

Los reyes de occidente y de las islas
le ofrecerán sus dones.
Ante él se postrarán todos los reyes
y todas las naciones.

Al débil librará del poderoso
y ayudará al que se encuentra sin amparo;
se apiadará del desvalido y del pobre
y salvará la vida al desdichado.

Del Salmo 71

Vivir la Palabra esta semana

¿Cómo puedo convertir mi vida en un don de caridad para los demás?

Al asistir a Misa esta semana, haz un esfuerzo especial de estar atento a las oraciones y acciones de la liturgia eucarística y de recibir la Eucaristía con reverencia.

9 de enero 2022

Lectio Divina para la Fiesta del Bautismo del Señor

Empecemos nuestra oración:

En el nombre del Padre, y del Hijo, y del Espíritu Santo. Amén.

Dios todopoderoso y eterno,
que proclamaste solemnemente a Jesucristo como tu Hijo muy
  amado,
cuando, al ser bautizado en el Jordán,
descendió el Espíritu Santo sobre él,
concede a tus hijos de adopción,
renacidos del agua y del Espíritu Santo,
que se conserven siempre dignos de tu complacencia.
Por nuestro Señor Jesucristo, tu Hijo,
que vive y reina contigo en la unidad del Espíritu Santo
y es Dios por los siglos de los siglos.

Oración colecta, Fiesta del Bautismo del Señor

Lectura (*Lectio*)

Lee la siguiente Escritura dos o tres veces.

Lucas 3, 15-16. 21-22

En aquel tiempo, como el pueblo estaba en expectación y todos pensaban que quizá Juan el Bautista era el Mesías, Juan los sacó de dudas, diciéndoles: "Es cierto que yo bautizo con agua, pero ya viene otro más poderoso que yo, a quien no merezco desatarle las correas de sus sandalias. Él los bautizará con el Espíritu Santo y con fuego".

Sucedió que entre la gente que se bautizaba, también Jesús fue bautizado. Mientras éste oraba, se abrió el cielo y el Espíritu Santo bajó sobre él en forma sensible, como de una paloma, y del cielo llegó una voz que decía: "Tú eres mi Hijo, el predilecto; en ti me complazco".

Meditación (*Meditatio*)

Después de la lectura, toma unos momentos para reflexionar en silencio acerca de una o más de las siguientes preguntas:

- ¿Cuál palabra o palabras en este pasaje captaron tu atención?
- ¿Qué parte en este pasaje te consoló?
- ¿Qué parte en este pasaje te desafió?

Si practicas la lectio divina como familia o en un grupo, luego del tiempo de reflexión, invita a los participantes a compartir sus respuestas.

Oración (*Oratio*)

Lee el pasaje de la Escritura una vez más. Dale al Señor la alabanza, petición y acción de gracias que la Palabra te ha inspirado.

Contemplación (*Contemplatio*)

Lee nuevamente el pasaje de la Escritura, seguida de esta reflexión:

≈ ¿Qué conversión de la mente, del corazón y de la vida me pide el Señor?

_____

_____

_____

_____

≈ *A quien no merezco desatarle las correas de sus sandalias.* ¿Cómo puedo servir más fielmente a Dios? ¿Cómo puedo servir a mis hermanos y hermanas necesitados?

_____

_____

_____

_____

~ *Él los bautizará con el Espíritu Santo y con fuego.* ¿Cómo inspira la fe mis acciones? ¿Cómo están presentes en mi vida los dones y frutos del Espíritu?

_____

_____

_____

_____

~ *"Tú eres mi Hijo, el predilecto; en ti me complazco".* ¿Cómo puedo crecer en mi amor por Jesús? ¿Cómo puedo ver a Jesús en todas las personas con quienes me encuentro?

_____

_____

_____

_____

~ *Después de unos momentos de reflexión en silencio, todos recen la Oración del Señor y la siguiente:*

Oración final

Bendice al Señor, alma mía:
Señor y Dios mío, inmensa es tu grandeza.
Te vistes de belleza y majestad,
la luz te envuelve como un manto.

Por encima de las aguas construyes tu morada.
Las nubes son tu carro;
los vientos, tus alas y mensajeros;
y tus servidoras, las ardientes llamas.

¡Que numerosas son tus obras, Señor,
y todas las hiciste con maestría!
La tierra está llena de tus creaturas.
y tu mar, enorme a lo largo y a lo ancho,
está lleno de animales pequeños y grandes.

Todos los vivientes aguardan
que les des de comer a su tiempo:
les das el alimento y lo recogen,
abres tu mano y se sacian de bienes.

Si retiras tu aliento,
toda creatura muere y vuelve al polvo.
Pero envías tu espíritu, que da vida,
y renueva el aspecto de la tierra.

Del Salmo 103

Vivir la Palabra esta semana

¿Cómo puedo convertir mi vida en un don de caridad para los demás?

Investiga sobre posibles oportunidades de voluntariado en tu parroquia y encuentra modos de compartir tus dones con tu comunidad parroquial.

16 de enero 2022

Lectio Divina para la II Semana del Tiempo Ordinario

Empecemos nuestra oración:

En el nombre del Padre, y del Hijo, y del Espíritu Santo. Amén.

Dios todopoderoso y eterno,
que gobiernas los cielos y la tierra,
escucha con amor las súplicas de tu pueblo
y haz que los días de nuestra vida
transcurran en tu paz.
Por nuestro Señor Jesucristo, tu Hijo,
que vive y reina contigo en la unidad del Espíritu Santo
y es Dios por los siglos de los siglos.

Oración colecta, II Domingo del Tiempo ordinario

Lectura (*Lectio*)

Lee la siguiente Escritura dos o tres veces.

Juan 2, 1-11

En aquel tiempo, hubo una boda en Caná de Galilea, a la cual asistió la madre de Jesús. Éste y sus discípulos también fueron invitados. Como llegara a faltar el vino, María le dijo a Jesús: "Ya no tienen vino". Jesús le contestó: "Mujer, ¿qué podemos hacer tú y yo? Todavía no llega mi hora". Pero ella dijo a los que servían: "Hagan lo que él les diga".

Había allí seis tinajas de piedra, de unos cien litros cada una, que servían para las purificaciones de los judíos. Jesús dijo a los que servían: "Llenen de agua esas tinajas". Y las llenaron hasta el borde. Entonces les dijo: "Saquen ahora un poco y llévenselo al mayordomo".

Así lo hicieron, y en cuanto el mayordomo probó el agua convertida en vino, sin saber su procedencia, porque sólo los sirvientes la sabían, llamó al novio y le dijo: "Todo el mundo sirve primero el vino mejor, y cuando los invitados ya han bebido bastante, se sirve el corriente. Tú, en cambio, has guardado el vino mejor hasta ahora".

Esto que hizo Jesús en Caná de Galilea fue el primero de sus signos. Así manifestó su gloria y sus discípulos creyeron en él.

Meditación (*Meditatio*)

Después de la lectura, toma unos momentos para reflexionar en silencio acerca de una o más de las siguientes preguntas:

- ¿Cuál palabra o palabras en este pasaje captaron tu atención?
- ¿Qué parte en este pasaje te consoló?
- ¿Qué parte en este pasaje te desafió?

Si practicas la lectio divina como familia o en un grupo, luego del tiempo de reflexión, invita a los participantes a compartir sus respuestas.

Oración (*Oratio*)

Lee el pasaje de la Escritura una vez más. Dale al Señor la alabanza, petición y acción de gracias que la Palabra te ha inspirado.

Contemplación (*Contemplatio*)

Lee nuevamente el pasaje de la Escritura, seguida de esta reflexión:

≈ ¿Qué conversión de la mente, del corazón y de la vida me pide el Señor?

_____

_____

_____

_____

~ *Como llegara a faltar el vino, María le dijo a Jesús: "Ya no tienen vino".* ¿Qué tengo que pedirle a Dios? ¿Cómo puedo estar más atento a las necesidades de los demás?

_____

_____

_____

_____

~ *El mayordomo probó el agua convertida en vino, sin saber su procedencia.* ¿En qué momentos me ha sorprendido la bondad de Dios? ¿Cómo puedo mostrar más agradecimiento por la bondad amorosa de Dios?

_____

_____

_____

_____

~ *Tú, en cambio, has guardado el vino mejor hasta ahora.* ¿En qué momentos me aferro a los dones que me da Dios en lugar de compartirlos? ¿Cómo puedo ser más generoso?

_____

_____

_____

_____

∼ Después de unos momentos de reflexión en silencio, todos recen la Oración del Señor y la siguiente:

Oración final

Cantemos al Señor un nuevo canto,
que le cante al Señor toda la tierra;
cantemos al Señor y bendigámoslo.

Proclamemos su amor día tras día,
su grandeza anunciemos a los pueblos;
de nación en nación, sus maravillas.

Alaben al Señor, pueblos del orbe,
reconozcan su gloria y su poder
y tribútenle honores a su nombre.

Caigamos en su templo de rodillas.
Tiemblen ante el Señor los atrevidos.
"Reina el Señor", digamos a los pueblos,
gobierna a las naciones con justicia.

Del Salmo 95

Vivir la Palabra esta semana

¿Cómo puedo convertir mi vida en un don de caridad para los demás?

Comparte tus dones hacienda una aportación a un almacén de alimentos, a la Sociedad de San Vicente de Paúl, o a Caridades Católicas.

23 de enero 2022

Lectio Divina para la III Semana del Tiempo Ordinario

Empecemos nuestra oración:

En el nombre del Padre, y del Hijo, y del Espíritu Santo. Amén.

Dios todopoderoso y eterno, dirige nuestros pasos
de manera que podamos agradarte en todo
y así merezcamos, en nombre de tu Hijo amado,
abundar en toda clase de obras buenas.
Por nuestro Señor Jesucristo, tu Hijo,
que vive y reina contigo en la unidad del Espíritu Santo
y es Dios por los siglos de los siglos.

Oración colecta, III Domingo del Tiempo ordinario

Lectura (*Lectio*)

Lee la siguiente Escritura dos o tres veces.

Lucas 1, 1-4; 4, 14-21

Muchos han tratado de escribir la historia de las cosas que pasaron entre nosotros, tal y como nos las trasmitieron los que las vieron desde el principio y que ayudaron en la predicación. Yo también, ilustre Teófilo, después de haberme informado minuciosamente de todo, desde sus principios, pensé escribírtelo por orden, para que veas la verdad de lo que se te ha enseñado.

(Después de que Jesús fue tentado por el demonio en el desierto), impulsado por el Espíritu, volvió a Galilea. Iba enseñando en las sinagogas; todos lo alababan y su fama se extendió por toda la región. Fue también a Nazaret, donde se había criado. Entró en la sinagoga, como era su costumbre hacerlo los sábados, y se levantó para hacer la lectura. Se le dio el volumen del profeta Isaías, lo desenrolló y encontró el pasaje en que estaba escrito: *El espíritu del Señor está sobre mí, porque me ha ungido para llevar a los pobres la buena nueva, para anunciar la liberación a los cautivos y la curación a los ciegos, para dar libertad a los oprimidos y proclamar el año de gracia del Señor.*

Enrolló el volumen, lo devolvió al encargado y se sentó. Los ojos de todos los asistentes a la sinagoga estaban fijos en él. Entonces comenzó a hablar, diciendo: "Hoy mismo se ha cumplido este pasaje de la Escritura que acaban de oír".

Meditación (*Meditatio*)

Después de la lectura, toma unos momentos para reflexionar en silencio acerca de una o más de las siguientes preguntas:

- ¿Cuál palabra o palabras en este pasaje captaron tu atención?
- ¿Qué parte en este pasaje te consoló?
- ¿Qué parte en este pasaje te desafió?

Si practicas la lectio divina como familia o en un grupo, luego del tiempo de reflexión, invita a los participantes a compartir sus respuestas.

Oración (*Oratio*)

Lee el pasaje de la Escritura una vez más. Dale al Señor la alabanza, petición y acción de gracias que la Palabra te ha inspirado.

Contemplación (*Contemplatio*)

Lee nuevamente el pasaje de la Escritura, seguida de esta reflexión:

≈ ¿Qué conversión de la mente, del corazón y de la vida me pide el Señor?

~ *Muchos han tratado de escribir la historia de las cosas que pasaron entre nosotros.* ¿Quién ha sido más influyente en ayudarte a entender tu fe? ¿Cómo puedes compartir tu historia de fe con los demás?

_____

_____

_____

_____

~ *Para que veas la verdad de lo que se te ha enseñado.* ¿En qué momentos he sentido dudas sobre la enseñanza de la Iglesia? ¿Qué fuentes con autoridad me pueden ayudar a aprender más sobre lo que enseña la Iglesia?

_____

_____

_____

_____

~ *Para anunciar la liberación a los cautivos y la curación a los ciegos, para dar libertad a los oprimidos.* ¿De qué conductas de pecado necesito que me libere la gracia de Dios? ¿Cómo puedo ayudar a otros a liberarse de las cadenas de opresión, prejuicio, y soledad?

_____

_____

∾ *Después de unos momentos de reflexión en silencio, todos recen la Oración del Señor y la siguiente:*

Oración final

La ley del Señor es perfecta del todo
y reconforta el alma;
inmutables son las palabras del Señor
y hacen sabio al sencillo.

En los mandamientos del Señor hay rectitud
y alegría para el corazón;
son luz los preceptos del Señor
para alumbrar el camino.

La voluntad de Dios es santa
y para siempre estable;
los mandamientos del Señor son verdaderos
y eternamente justos.

Que sean gratas las palabras de mi boca,
y los anhelos de mi corazón.
Haz, Señor, que siempre te busque,
pues eres mi refugio y salvación.

Del Salmo 18

Vivir la Palabra esta semana

¿Cómo puedo convertir mi vida en un don de caridad para los demás?

Pasa tiempo cada día de esta semana leyendo la Sagrada Escritura y meditando sobre su significado.

30 de enero 2022

Lectio Divina para la IV Semana del Tiempo Ordinario

Empecemos nuestra oración:

En el nombre del Padre, y del Hijo, y del Espíritu Santo. Amén.

Concédenos, Señor Dios nuestro,
adorarte con toda el alma
y amar a todos los hombres con afecto espiritual.
Por nuestro Señor Jesucristo, tu Hijo,
que vive y reina contigo en la unidad del Espíritu Santo
y es Dios por los siglos de los siglos.

Oración colecta, IV Domingo del Tiempo ordinario

Lectura (*Lectio*)

Lee la siguiente Escritura dos o tres veces.

Lucas 4, 21-30

En aquel tiempo, después de que Jesús leyó en la sinagoga un pasaje del libro de Isaías, dijo: "Hoy mismo se ha cumplido este pasaje de la Escritura que acaban de oír". Todos le daban su aprobación y admiraban la sabiduría de las palabras que salían de sus labios, y se preguntaban: "¿No es éste el hijo de José?"

Jesús les dijo: "Seguramente me dirán aquel refrán: 'Médico, cúrate a ti mismo' y haz aquí, en tu propia tierra, todos esos prodigios que hemos oído que has hecho en Cafarnaúm". Y añadió: "Yo les aseguro que nadie es profeta en su tierra. Había ciertamente en Israel muchas viudas en los tiempos de Elías, cuando faltó la lluvia durante tres años y medio, y hubo un hambre terrible en todo el país; sin embargo, a ninguna de ellas fue enviado Elías, sino a una viuda que vivía en Sarepta, ciudad de Sidón. Había muchos leprosos en Israel, en tiempos del profeta Eliseo; sin embargo, ninguno de ellos fue curado, sino Naamán, que era de Siria".

Al oír esto, todos los que estaban en la sinagoga se llenaron de ira, y levantándose, lo sacaron de la ciudad y lo llevaron hasta una saliente del monte, sobre el que estaba construida la ciudad, para despeñarlo. Pero él, pasando por en medio de ellos, se alejó de allí.

Meditación (*Meditatio*)

Después de la lectura, toma unos momentos para reflexionar en silencio acerca de una o más de las siguientes preguntas:

- ¿Cuál palabra o palabras en este pasaje captaron tu atención?
- ¿Qué parte en este pasaje te consoló?
- ¿Qué parte en este pasaje te desafió?

Si practicas la lectio divina como familia o en un grupo, luego del tiempo de reflexión, invita a los participantes a compartir sus respuestas.

Oración (*Oratio*)

Lee el pasaje de la Escritura una vez más. Dale al Señor la alabanza, petición y acción de gracias que la Palabra te ha inspirado.

Contemplación (*Contemplatio*)

Lee nuevamente el pasaje de la Escritura, seguida de esta reflexión:

~ ¿Qué conversión de la mente, del corazón y de la vida me pide el Señor?

_____

_____

_____

_____

~ *Médico, cúrate a ti mismo.* ¿En qué momentos he dependido demasiado de mis propias fuerzas y capacidades? ¿Cómo puedo descansar más plenamente en la presencia curativa de Jesús?

_____

_____

_____

_____

~ *Yo les aseguro que nadie es profeta en su tierra.* ¿En qué momentos he sentido rechazo a causa de mi fe? ¿Cuándo he silenciado a otros que me dicen la verdad?

_____

_____

_____

_____

~ *Pero [Jesús], pasando por en medio de ellos, se alejó de allí.* ¿En qué momentos he debido apartarme de cosas que perturbarían mi espíritu? ¿Cómo puedo evitar a personas y lugares que son ocasiones cercanas de pecado?

_____

_____

≈ *Después de unos momentos de reflexión en silencio, todos recen la Oración del Señor y la siguiente:*

Oración final

Señor, tú eres mi esperanza,
que no quede yo jamás defraudado.
Tú, que eres justo, ayúdame y defiéndeme;
escucha mi oración y ponme a salvo.

Sé para mí un refugio,
ciudad fortificada en que me salves.
Y pues eres mi auxilio y mi defensa,
líbrame, Señor, de los malvados.

Señor, tú eres mi esperanza;
desde mi juventud en ti confío.
Desde que estaba en el seno de mi madre,
yo me apoyaba en ti y tú me sostenías.

Yo proclamaré siempre tu justicia
y a todas horas, tu misericordia.
Me enseñaste a alabarte desde niño
y seguir alabándote es mi orgullo.

Del Salmo 70

Vivir la Palabra esta semana

¿Cómo puedo convertir mi vida en un don de caridad para los demás?

Investiga los esfuerzos parroquiales y diocesanos para salir al encuentro de los pobres, refugiados y encarcelados. Discierne en oración cómo podrías contribuir a esos esfuerzos.

6 de febrero 2022

Lectio Divina para la V Semana del Tiempo Ordinario

Empecemos nuestra oración:

En el nombre del Padre, y del Hijo, y del Espíritu Santo. Amén.

Te rogamos, Señor, que guardes con incesante amor
a tu familia santa,
que tiene puesto su apoyo sólo en tu gracia,
para que halle siempre en tu protección su fortaleza.
Por nuestro Señor Jesucristo, tu Hijo,
que vive y reina contigo en la unidad del Espíritu Santo
y es Dios por los siglos de los siglos.

Oración colecta, V Domingo del Tiempo ordinario

Lectura (*Lectio*)

Lee la siguiente Escritura dos o tres veces.

Lucas 5, 1-11

En aquel tiempo, Jesús estaba a orillas del lago de Genesaret y la gente se agolpaba en torno suyo para oír la palabra de Dios. Jesús vio dos barcas que estaban junto a la orilla. Los pescadores habían desembarcado y estaban lavando las redes. Subió Jesús a una de las barcas, la de Simón, le pidió que la alejara un poco de tierra, y sentado en la barca, enseñaba a la multitud.

Cuando acabó de hablar, dijo a Simón: "Lleva la barca mar adentro y echen sus redes para pescar". Simón replicó: "Maestro, hemos trabajado toda la noche y no hemos pescado nada; pero, confiado en tu palabra, echaré las redes". Así lo hizo y cogieron tal cantidad de pescados, que las redes se rompían. Entonces hicieron señas a sus compañeros, que estaban en la otra barca, para que vinieran a ayudarlos. Vinieron ellos y llenaron tanto las dos barcas, que casi se hundían.

Al ver esto, Simón Pedro se arrojó a los pies de Jesús y le dijo: "¡Apártate de mí, Señor, porque soy un pecador!" Porque tanto él como sus compañeros estaban llenos de asombro al ver la pesca que habían conseguido. Lo mismo les pasaba a Santiago y a Juan, hijos de Zebedeo, que eran compañeros de Simón.

Entonces Jesús le dijo a Simón: "No temas; desde ahora serás pescador de hombres". Luego llevaron las barcas a tierra y, dejándolo todo, lo siguieron.

Meditación (*Meditatio*)

Después de la lectura, toma unos momentos para reflexionar en silencio acerca de una o más de las siguientes preguntas:

- ¿Cuál palabra o palabras en este pasaje captaron tu atención?
- ¿Qué parte en este pasaje te consoló?
- ¿Qué parte en este pasaje te desafió?

Si practicas la lectio divina como familia o en un grupo, luego del tiempo de reflexión, invita a los participantes a compartir sus respuestas.

Oración (*Oratio*)

Lee el pasaje de la Escritura una vez más. Dale al Señor la alabanza, petición y acción de gracias que la Palabra te ha inspirado.

Contemplación (*Contemplatio*)

Lee nuevamente el pasaje de la Escritura, seguida de esta reflexión:

≈ ¿Qué conversión de la mente, del corazón y de la vida me pide el Señor?

_____

_____

_____

_____

~ *La gente se agolpaba en torno suyo para oír la palabra de Dios.* ¿En qué momentos he estado ansioso por escuchar la palabra de Dios? ¿Cómo puedo ser más entusiasta por aprender y compartir mi fe?

_____

_____

_____

_____

~ "Maestro, hemos trabajado toda la noche y no hemos pescado nada; pero, confiado en tu palabra, echaré las redes". ¿En qué momentos he sentido que mis esfuerzos eran en vano? ¿En qué momentos he sentido que Jesús me está apoyando en esos esfuerzos?

_____

_____

_____

_____

~ *Dejándolo todo, lo siguieron.* ¿Qué me impide seguir a Jesús más cercanamente? ¿Qué conductas pecaminosas debo abandonar?

_____

_____

_____

_____

~ *Después de unos momentos de reflexión en silencio, todos recen la Oración del Señor y la siguiente:*

Oración final

De todo corazón te damos gracias,
Señor, porque escuchaste nuestros ruegos.
Te cantaremos delante de tus ángeles,
te adoraremos en tu templo.

Señor, te damos gracias
por tu lealtad y tu amor:
siempre que te invocamos nos oíste
y nos llenaste de valor.

Que todos los reyes de la tierra te reconozcan,
al escuchar tus prodigios.
Que alaben tus caminos,
porque tu gloria es inmensa.

Tu mano, Señor, nos podrá a salvo,
y así concluirás en nosotros tu obra.
Señor, tu amor perdura eternamente;
obra tuya soy, no me abandones.

Del Salmo 137

Vivir la Palabra esta semana

¿Cómo puedo convertir mi vida en un don de caridad para los demás?

Ora por quienes están discerniendo una vocación al sacerdocio, el diaconado, o la vida consagrada.

13 de febrero 2022

Lectio Divina para la VI Semana del Tiempo Ordinario

Empecemos nuestra oración:

En el nombre del Padre, y del Hijo, y del Espíritu Santo. Amén.

Señor Dios, que prometiste poner tu morada
en los corazones rectos y sinceros,
concédenos, por tu gracia, vivir de tal manera
que te dignes habitar en nosotros.
Por nuestro Señor Jesucristo, tu Hijo,
que vive y reina contigo en la unidad del Espíritu Santo
y es Dios por los siglos de los siglos.

Oración colecta, VI Domingo del Tiempo ordinario

Lectura (*Lectio*)

Lee la siguiente Escritura dos o tres veces.

Lucas 6, 17. 20-26

En aquel tiempo, Jesús descendió del monte con sus discípulos y sus apóstoles y se detuvo en un llano. Allí se encontraba mucha gente, que había venido tanto de Judea y de Jerusalén, como de la costa de Tiro y de Sidón.

Mirando entonces a sus discípulos, Jesús les dijo:
"Dichosos ustedes los pobres,
porque de ustedes es el Reino de Dios.
Dichosos ustedes los que ahora tienen hambre,
porque serán saciados.
Dichosos ustedes los que lloran ahora,
porque al fin reirán.

Dichosos serán ustedes cuando los hombres los aborrezcan y los expulsen de entre ellos, y cuando los insulten y maldigan por causa del Hijo del hombre. Alégrense ese día y salten de gozo, porque su recompensa será grande en el cielo. Pues así trataron sus padres a los profetas.

Pero, ¡ay de ustedes, los ricos,
porque ya tienen ahora su consuelo!
¡Ay de ustedes, los que se hartan ahora,
porque después tendrán hambre!
¡Ay de ustedes, los que ríen ahora,
porque llorarán de pena!
¡Ay de ustedes, cuando todo el mundo los alabe,
porque de ese modo trataron sus padres a los falsos profetas!"

Meditación (*Meditatio*)

Después de la lectura, toma unos momentos para reflexionar en silencio acerca de una o más de las siguientes preguntas:

- ¿Cuál palabra o palabras en este pasaje captaron tu atención?
- ¿Qué parte en este pasaje te consoló?
- ¿Qué parte en este pasaje te desafió?

Si practicas la lectio divina como familia o en un grupo, luego del tiempo de reflexión, invita a los participantes a compartir sus respuestas.

Oración (*Oratio*)

Lee el pasaje de la Escritura una vez más. Dale al Señor la alabanza, petición y acción de gracias que la Palabra te ha inspirado.

Contemplación (*Contemplatio*)

Lee nuevamente el pasaje de la Escritura, seguida de esta reflexión:

≈ ¿Qué conversión de la mente, del corazón y de la vida me pide el Señor?

_____

_____

_____

_____

~ *Dichosos ustedes los que lloran ahora, / porque al fin reirán.* ¿Qué cargas o situaciones de la vida me afligen? ¿Qué cosas de la vida me causan alegría?

_____

_____

_____

_____

~ *Su recompensa será grande en el cielo.* ¿Qué premio espero de Dios? ¿Cómo me imagino que ha de ser el cielo?

_____

_____

_____

_____

~ *¡Ay de ustedes, cuando todo el mundo los alabe, / porque de ese modo trataron sus padres a los falsos profetas!* ¿En qué momentos he buscado la buena opinión de los demás sobre mí en lugar de lo que es justo? ¿Cómo trato a quienes me dicen verdades incómodas?

_____

_____

_____

_____

~ *Después de unos momentos de reflexión en silencio, todos recen la Oración del Señor y la siguiente:*

Oración final

Dichoso aquel que no se guía
por mundanos criterios,
que no anda en malos pasos
ni se burla del bueno,
que ama la ley de Dios
y se goza en cumplir sus mandamientos.

Es como un árbol plantado junto al río,
que da fruto a su tiempo
y nunca se marchita.
En todo tendrá éxito.

En cambio los malvados
serán como la paja barrida por el viento.
Porque el Señor protege el camino del justo
y al malo sus caminos acaban por perderlo.

Del Salmo 1

Vivir la Palabra esta semana

¿Cómo puedo convertir mi vida en un don de caridad para los demás?

Ora por quienes han muerto, especialmente quienes no tienen a nadie que ore por ellos.

20 de febrero 2022

Lectio Divina para la VII Semana del Tiempo Ordinario

Empecemos nuestra oración:

En el nombre del Padre, y del Hijo, y del Espíritu Santo. Amén.

Concédenos, Dios todopoderoso,
que la constante meditación de tus misterios
nos impulse a decir y hacer siempre
lo que sea de tu agrado.
Por nuestro Señor Jesucristo, tu Hijo,
que vive y reina contigo en la unidad del Espíritu Santo
y es Dios por los siglos de los siglos.

Oración colecta, VII Domingo del Tiempo ordinario

Lectura (*Lectio*)

Lee la siguiente Escritura dos o tres veces.

Lucas 6, 27-38

En aquel tiempo, Jesús dijo a sus discípulos: "Amen a sus enemigos, hagan el bien a los que los aborrecen, bendigan a quienes los maldicen y oren por quienes los difaman. Al que te golpee en una mejilla, preséntale la otra; al que te quite el manto, déjalo llevarse también la túnica. Al que te pida, dale; y al que se lleve lo tuyo, no se lo reclames.

Traten a los demás como quieran que los traten a ustedes; porque si aman sólo a los que los aman, ¿qué hacen de extraordinario? También los pecadores aman a quienes los aman. Si hacen el bien sólo a los que les hacen el bien, ¿qué tiene de extraordinario? Lo mismo hacen los pecadores. Si prestan solamente cuando esperan cobrar, ¿qué hacen de extraordinario? También los pecadores prestan a otros pecadores, con la intención de cobrárselo después.

Ustedes, en cambio, amen a sus enemigos, hagan el bien y presten sin esperar recompensa. Así tendrán un gran premio y serán hijos del Altísimo, porque él es bueno hasta con los malos y los ingratos. Sean misericordiosos, como su Padre es misericordioso.

No juzguen y no serán juzgados; no condenen y no serán condenados; perdonen y serán perdonados. Den y se les dará: recibirán una medida buena, bien sacudida, apretada y rebosante en los pliegues de su túnica. Porque con la misma medida con que midan, serán medidos".

Meditación (*Meditatio*)

Después de la lectura, toma unos momentos para reflexionar en silencio acerca de una o más de las siguientes preguntas:

- ¿Cuál palabra o palabras en este pasaje captaron tu atención?
- ¿Qué parte en este pasaje te consoló?
- ¿Qué parte en este pasaje te desafió?

Si practicas la lectio divina como familia o en un grupo, luego del tiempo de reflexión, invita a los participantes a compartir sus respuestas.

Oración (*Oratio*)

Lee el pasaje de la Escritura una vez más. Dale al Señor la alabanza, petición y acción de gracias que la Palabra te ha inspirado.

Contemplación (*Contemplatio*)

Lee nuevamente el pasaje de la Escritura, seguida de esta reflexión:

~ ¿Qué conversión de la mente, del corazón y de la vida me pide el Señor?

_____

_____

_____

_____

≈ *Bendigan a quienes los maldicen y oren por quienes los difaman.* ¿Quién me ha herido o maltratado de alguna manera? ¿Cómo puedo orar por esa persona?

_____

_____

_____

_____

≈ *Perdonen y serán perdonados.* ¿A quién debo perdonar? ¿A quién debo pedir perdón?

_____

_____

_____

_____

≈ *Porque con la misma medida con que midan, serán medidos.* ¿Con cuánta frecuencia me pongo a mí mismo y a los demás estándares poco realistas? ¿Cómo puedo ser más generoso con los demás y conmigo mismo?

_____

_____

_____

_____

~ *Después de unos momentos de reflexión en silencio, todos recen la Oración del Señor y la siguiente:*

Oración final

Bendice al Señor, alma mía,
que todo mi ser bendiga su santo nombre.
Bendice al Señor, alma mía,
y no te olvides de sus beneficios.

El Señor perdona tus pecados
y cura tus enfermedades;
él rescata tu vida del sepulcro
y te colma de amor y de ternura.

El Señor es compasivo y misericordioso,
lento para enojarse y generoso para perdonar.
No nos trata como merecen nuestras culpas,
ni nos paga según nuestros pecados.

Como dista el oriente del ocaso,
así aleja de nosotros nuestros delitos;
como un padre es compasivo con sus hijos,
así es compasivo el Señor con quien lo ama.

Del Salmo 102

Vivir la Palabra esta semana

¿Cómo puedo convertir mi vida en un don de caridad para los demás?

En oración, piensa en cómo puedes compartir tus dones de tiempo, talento y tesoro con quienes los necesitan.

27 de febrero 2022

Lectio Divina para la VIII Semana del Tiempo Ordinario

Empecemos nuestra oración:

En el nombre del Padre, y del Hijo, y del Espíritu Santo. Amén.

Concédenos, Señor, que tu poder pacificador
dirija el curso de los acontecimientos del mundo
y que tu Iglesia se regocije
al poder servirte con tranquilidad.
Por nuestro Señor Jesucristo, tu Hijo,
que vive y reina contigo en la unidad del Espíritu Santo
y es Dios por los siglos de los siglos.

Oración colecta, VIII Domingo del Tiempo ordinario

Lectura (*Lectio*)

Lee la siguiente Escritura dos o tres veces.

Lucas 6, 39-45

En aquel tiempo, Jesús propuso a sus discípulos este ejemplo: "¿Puede acaso un ciego guiar a otro ciego? ¿No caerán los dos en un hoyo? El discípulo no es superior a su maestro; pero cuando termine su aprendizaje, será como su maestro.

¿Por qué ves la paja en el ojo de tu hermano y no la viga que llevas en el tuyo? ¿Cómo te atreves a decirle a tu hermano: 'Déjame quitarte la paja que llevas en el ojo', si no adviertes la viga que llevas en el tuyo? ¡Hipócrita! Saca primero la viga que llevas en tu ojo y entonces podrás ver, para sacar la paja del ojo de tu hermano.

No hay árbol bueno que produzca frutos malos, ni árbol malo que produzca frutos buenos. Cada árbol se conoce por sus frutos. No se recogen higos de las zarzas, ni se cortan uvas de los espinos. El hombre bueno dice cosas buenas, porque el bien está en su corazón, y el hombre malo dice cosas malas, porque el mal está en su corazón, pues la boca habla de lo que está lleno el corazón".

Meditación (*Meditatio*)

Después de la lectura, toma unos momentos para reflexionar en silencio acerca de una o más de las siguientes preguntas:

- ¿Cuál palabra o palabras en este pasaje captaron tu atención?
- ¿Qué parte en este pasaje te consoló?
- ¿Qué parte en este pasaje te desafió?

Si practicas la lectio divina como familia o en un grupo, luego del tiempo de reflexión, invita a los participantes a compartir sus respuestas.

Oración (*Oratio*)

Lee el pasaje de la Escritura una vez más. Dale al Señor la alabanza, petición y acción de gracias que la Palabra te ha inspirado.

Contemplación (*Contemplatio*)

Lee nuevamente el pasaje de la Escritura, seguida de esta reflexión:

≈ ¿Qué conversión de la mente, del corazón y de la vida me pide el Señor?

_____

_____

_____

_____

≈ *Cuando termine su aprendizaje, será como su maestro.* ¿Qué maestros han ayudado a moldear mi fe? ¿Cómo puedo conformarme más a Jesús?

_____

_____

_____

_____

~ *Saca primero la viga que llevas en tu ojo y entonces podrás ver, para sacar la paja del ojo de tu hermano.* ¿Qué viga tengo que retirar de mi ojo? ¿Cómo puedo aprender a ver a mis hermanos y hermanas con ojos de fe?

_____

_____

_____

_____

~ *Cada árbol se conoce por sus frutos.* ¿Por qué frutos se me conoce? ¿Qué frutos espirituales deseo cultivar en mi vida?

_____

_____

_____

_____

~ *Después de unos momentos de reflexión en silencio, todos recen la Oración del Señor y la siguiente:*

Oración final

¡Qué bueno es darte gracias, Dios altísimo,
y celebrar tu nombre,
pregonando tu amor cada mañana
y tu fidelidad, todas las noches!

Los justos crecerán como las palmas,
como los cedros en los altos montes;
plantados en la casa del Señor,
en medio de sus atrios darán flores.

Seguirán dando fruto en su vejez,
frondosos y lozanos como jóvenes,
para anunciar que en Dios, mi protector,
ni maldad ni injusticia se conocen.

Del Salmo 91

Vivir la Palabra esta semana

¿Cómo puedo convertir mi vida en un don de caridad para los demás?

Dedica algún tiempo a la lectura espiritual (la Biblia, vidas de santos, el *Catecismo*, documentos pontificios, etc.) todos los días durante la Cuaresma.

2 de marzo 2022

Lectio divina para el Miércoles de Ceniza

Empecemos nuestra oración:

En el nombre del Padre, y del Hijo, y del Espíritu Santo. Amén.

Te rogamos, Señor,
que inspires con tu gracia nuestras acciones
y las acompañes con tu ayuda,
para que todas nuestras obras tengan siempre en ti su principio
y por ti lleguen a buen término.
Por nuestro Señor Jesucristo, tu Hijo,
que vive y reina contigo en la unidad del Espíritu Santo
y es Dios por los siglos de los siglos.

Oración colecta, Jueves después de Ceniza

Lectura (*Lectio*)

Lee la siguiente Escritura dos o tres veces.

Mateo 6, 1-6. 16-18

En aquel tiempo, Jesús dijo a sus discípulos: "Tengan cuidado de no practicar sus obras de piedad delante de los hombres para que los vean. De lo contrario, no tendrán recompensa con su Padre celestial.

Por lo tanto, cuando des limosna, no lo anuncies con trompeta, como hacen los hipócritas en las sinagogas y por las calles, para que los alaben los hombres. Yo les aseguro que ya recibieron su recompensa. Tú, en cambio, cuando des limosna, que no sepa tu mano izquierda lo que hace la derecha, para que tu limosna quede en secreto; y tu Padre, que ve lo secreto, te recompensará.

Cuando ustedes hagan oración, no sean como los hipócritas, a quienes les gusta orar de pie en las sinagogas y en las esquinas de las plazas, para que los vea la gente. Yo les aseguro que ya recibieron su recompensa. Tú, en cambio, cuando vayas a orar, entra en tu cuarto, cierra la puerta y ora ante tu Padre, que está allí, en lo secreto; y tu Padre, que ve lo secreto, te recompensará.

Cuando ustedes ayunen, no pongan cara triste, como esos hipócritas que descuidan la apariencia de su rostro, para que la gente note que están ayunando. Yo les aseguro que ya recibieron su recompensa. Tú, en cambio, cuando ayunes, perfúmate la cabeza y lávate la cara, para que no sepa la gente que estás ayunando, sino tu Padre, que está en lo secreto; y tu Padre, que ve lo secreto, te recompensará".

Meditación (*Meditatio*)

Después de la lectura, toma unos momentos para reflexionar en silencio acerca de una o más de las siguientes preguntas:

- ¿Cuál palabra o palabras en este pasaje captaron tu atención?
- ¿Qué parte en este pasaje te consoló?
- ¿Qué parte en este pasaje te desafió?

Si practicas la lectio divina como familia o en un grupo, luego del tiempo de reflexión, invita a los participantes a compartir sus respuestas.

Oración (*Oratio*)

Lee el pasaje de la Escritura una vez más. Dale al Señor la alabanza, petición y acción de gracias que la Palabra te ha inspirado.

Contemplación (*Contemplatio*)

Lee nuevamente el pasaje de la Escritura, seguida de esta reflexión:

~ ¿Qué conversión de la mente, del corazón y de la vida me pide el Señor?

_____

_____

_____

_____

≈ *Cuando des limosna, no lo anuncies con trompeta, como hacen los hipócritas en las sinagogas y por las calles, para que los alaben los hombres.* ¿En qué momentos he tratado de llamar la atención haciendo el bien? ¿Con qué frecuencia me motiva la buena opinión de los demás?

_____

_____

_____

_____

≈ *Yo les aseguro que ya recibieron su recompensa.* ¿Qué premio espero recibir de vivir mi fe? ¿Qué premios he recibido ya al vivir mi fe?

_____

_____

_____

_____

≈ *Cuando ayunes, perfúmate la cabeza y lávate la cara, para que no sepa la gente que estás ayunando, sino tu Padre, que está en lo secreto.* ¿Cómo comunico a los demás la alegría que me da mi fe en Cristo y en su Iglesia? ¿Cómo puedo compartir esa alegría con los demás?

_____

_____

~ *Después de unos momentos de reflexión en silencio, todos recen la Oración del Señor y la siguiente:*

Oración final

Por tu inmensa compasión y misericordia,
Señor, apiádate de mí y olvida mis ofensas.
Lávame bien de todos mis delitos,
y purifícame de mis pecados.

Puesto que reconozco mis culpas,
tengo siempre presentes mis pecados.
Contra ti sólo pequé, Señor,
haciendo lo que a tus ojos era malo.

Crea en mí, Señor, un corazón puro,
un espíritu nuevo para cumplir tus mandamientos.
No me arrojes, Señor, lejos de ti,
ni retires de mí tu santo espíritu.

Devuélveme tu salvación, que regocija
y mantén en mí un alma generosa.
Señor, abre mis labios,
y cantará mi boca tu alabanza.

Del Salmo 50

Vivir la Palabra esta semana

¿Cómo puedo convertir mi vida en un don de caridad para los demás?

Decide como observarás las prácticas cuaresmales de oración, ayuno y limosna.

6 de marzo 2022

Lectio Divina para la Primera Semana de Cuaresma

Empecemos nuestra oración:

En el nombre del Padre, y del Hijo, y del Espíritu Santo. Amén.

Convierte a ti, Padre eterno, nuestros corazones,
para que, buscando siempre lo único necesario
y poniendo en práctica las obras de caridad,
nos concedas permanecer dedicados a tu servicio.
Por nuestro Señor Jesucristo, tu Hijo,
que vive y reina contigo en la unidad del Espíritu Santo
y es Dios por los siglos de los siglos.

Oración colecta, Sábado de la Primera Semana de Cuaresma

Lectura (*Lectio*)

Lee la siguiente Escritura dos o tres veces.

Lucas 4, 1-13

En aquel tiempo, Jesús, lleno del Espíritu Santo, regresó del Jordán y conducido por el mismo Espíritu, se internó en el desierto, donde permaneció durante cuarenta días y fue tentado por el demonio.

No comió nada en aquellos días, y cuando se completaron, sintió hambre. Entonces el diablo le dijo: "Si eres el Hijo de Dios, dile a esta piedra que se convierta en pan". Jesús le contestó: "Está escrito: *No sólo de pan vive el hombre* ".

Después lo llevó el diablo a un monte elevado y en un instante le hizo ver todos los reinos de la tierra y le dijo: "A mí me ha sido entregado todo el poder y la gloria de estos reinos, y yo los doy a quien quiero. Todo esto será tuyo, si te arrodillas y me adoras". Jesús le respondió: "Está escrito: *Adorarás al Señor, tu Dios, y a él sólo servirás* ".

Entonces lo llevó a Jerusalén, lo puso en la parte más alta del templo y le dijo: "Si eres el Hijo de Dios, arrójate desde aquí, porque está escrito: *Los ángeles del Señor tienen órdenes de cuidarte y de sostenerte en sus manos, para que tus pies no tropiecen con las piedras* ". Pero Jesús le respondió: "También está escrito: *No tentarás al Señor, tu Dios* ".

Concluidas las tentaciones, el diablo se retiró de él, hasta que llegara la hora.

Meditación (*Meditatio*)

Después de la lectura, toma unos momentos para reflexionar en silencio acerca de una o más de las siguientes preguntas:

- ¿Cuál palabra o palabras en este pasaje captaron tu atención?
- ¿Qué parte en este pasaje te consoló?
- ¿Qué parte en este pasaje te desafió?

Si practicas la lectio divina como familia o en un grupo, luego del tiempo de reflexión, invita a los participantes a compartir sus respuestas.

Oración (*Oratio*)

Lee el pasaje de la Escritura una vez más. Dale al Señor la alabanza, petición y acción de gracias que la Palabra te ha inspirado.

Contemplación (*Contemplatio*)

Lee nuevamente el pasaje de la Escritura, seguida de esta reflexión:

~ ¿Qué conversión de la mente, del corazón y de la vida me pide el Señor?

_____

_____

_____

_____

~ *No comió nada en aquellos días, y cuando se completaron, sintió hambre.*
¿De qué cosas tengo hambre? ¿Cómo puedo alimentar mejor mi alma?

_____

_____

_____

_____

~ *Adorarás al Señor, tu Dios, y a él sólo servirás.* ¿Qué me distrae del
culto del Señor? ¿Cómo puedo servir al Señor más fielmente y de
todo corazón?

_____

_____

_____

_____

~ *Cuidarte y de sostenerte en sus manos, para que tus pies no tropiecen con
las piedras.* ¿Qué piedras u obstáculos me ponen en peligro? ¿Cómo
puedo sentir el apoyo amoroso de Dios?

_____

_____

_____

_____

Después de unos momentos de reflexión en silencio, todos recen la Oración del Señor y la siguiente:

Oración final

Tú, que vives al amparo del Altísimo
y descansas a la sombra del todopoderoso,
dile al Señor: "Tu eres mi refugio y fortaleza;
tú eres mi Dios y en ti confío".

No te sucederá desgracia alguna,
ninguna calamidad caerá sobre tu casa,
pues el Señor ha dado a sus ángeles la orden
de protegerte a donde quiera que vayas.

Los ángeles de Dios te llevarán en brazos
para que no te tropieces con las piedras,
podrás pisar los escorpiones y las víboras
y dominar las fieras.

"Puesto que tú me conoces y me amas, dice el Señor,
yo te libraré y te pondré a salvo.
Cuando tú me invoques, yo te escucharé,
y en tus angustias estaré contigo,
te libraré de ellas y te colmaré de honores".

Del Salmo 90

Vivir la Palabra esta semana

¿Cómo puedo convertir mi vida en un don de caridad para los demás?

Haz un esfuerzo especial por estar plenamente presente y atento en la oración y la liturgia esta semana.

13 de marzo 2022

Lectio Divina para la Segunda Semana de Cuaresma

Empecemos nuestra oración:

En el nombre del Padre, y del Hijo, y del Espíritu Santo. Amén.

Señor Dios, que nos mandaste escuchar a tu Hijo muy amado,
dígnate alimentarnos íntimamente con tu palabra,
para que, ya purificada nuestra mirada interior,
nos alegremos en la contemplación de tu gloria.
Por nuestro Señor Jesucristo, tu Hijo,
que vive y reina contigo en la unidad del Espíritu Santo
y es Dios por los siglos de los siglos.

Oración colecta, Miércoles de la Segunda Semana de Cuaresma

Lectura (*Lectio*)

Lee la siguiente Escritura dos o tres veces.

Lucas 9, 28b-36

En aquel tiempo, Jesús se hizo acompañar de Pedro, Santiago y Juan, y subió a un monte para hacer oración. Mientras oraba, su rostro cambió de aspecto y sus vestiduras se hicieron blancas y relampagueantes. De pronto aparecieron conversando con él dos personajes, rodeados de esplendor: eran Moisés y Elías. Y hablaban de la muerte que le esperaba en Jerusalén.

Pedro y sus compañeros estaban rendidos de sueño; pero, despertándose, vieron la gloria de Jesús y de los que estaban con él. Cuando éstos se retiraban, Pedro le dijo a Jesús: "Maestro, sería bueno que nos quedáramos aquí y que hiciéramos tres chozas: una para ti, una para Moisés y otra para Elías", sin saber lo que decía.

No había terminado de hablar, cuando se formó una nube que los cubrió; y ellos, al verse envueltos por la nube, se llenaron de miedo. De la nube salió una voz que decía: "Éste es mi Hijo, mi escogido; escúchenlo". Cuando cesó la voz, se quedó Jesús solo.

Los discípulos guardaron silencio y por entonces no dijeron a nadie nada de lo que habían visto.

Meditación (*Meditatio*)

Después de la lectura, toma unos momentos para reflexionar en silencio acerca de una o más de las siguientes preguntas:

- ¿Cuál palabra o palabras en este pasaje captaron tu atención?
- ¿Qué parte en este pasaje te consoló?
- ¿Qué parte en este pasaje te desafió?

Si practicas la lectio divina como familia o en un grupo, luego del tiempo de reflexión, invita a los participantes a compartir sus respuestas.

Oración (*Oratio*)

Lee el pasaje de la Escritura una vez más. Dale al Señor la alabanza, petición y acción de gracias que la Palabra te ha inspirado.

Contemplación (*Contemplatio*)

Lee nuevamente el pasaje de la Escritura, seguida de esta reflexión:

≈ ¿Qué conversión de la mente, del corazón y de la vida me pide el Señor?

_____

_____

_____

_____

≈ *Mientras oraba, su rostro cambió de aspecto.* ¿Por qué cosas debo orar? ¿Cómo me ha transformado la oración?

_____

_____

_____

_____

≈ *Pedro y sus compañeros estaban rendidos de sueño.* ¿Qué supera a mi deseo de seguir a Jesús? ¿Cómo puedo despertar a lo que Dios quiere de mí?

_____

_____

_____

_____

≈ *Maestro, sería bueno que nos quedáramos aquí.* ¿A dónde me está llamando Dios? ¿A quién ha puesto Dios en mi vida para ayudarme?

_____

_____

_____

_____

~ *Después de unos momentos de reflexión en silencio, todos recen la Oración del Señor y la siguiente:*

Oración final

El Señor es mi luz y mi salvación,
¿a quién voy a tenerle miedo?
 El Señor es la defensa de mi vida,
¿quién podrá hacerme temblar?

Oye, Señor, mi voz y mis clamores
y tenme compasión;
el corazón me dice que te busque
y buscándote estoy.

No rechaces con cólera a tu siervo,
tú eres mi único auxilio;
no me abandones ni me dejes solo,
Dios y salvador mío.

La bondad del Señor espero ver
en esta misma vida.
Ármate de valor y fortaleza
y en el Señor confía.

Del Salmo 26

Vivir la Palabra esta semana

¿Cómo puedo convertir mi vida en un don de caridad para los demás?

Haz un buen examen de conciencia y planifica recibir el Sacramento de la Penitencia en esta Cuaresma.

19 de marzo 2022

Lectio Divina para la Solemnidad de San José

Empecemos nuestra oración:

En el nombre del Padre, y del Hijo, y del Espíritu Santo. Amén.

Dios todopoderoso,
que quisiste poner bajo la protección de san José
el nacimiento y la infancia de nuestro Redentor,
concédele a tu Iglesia proseguir y llevar a término,
bajo su patrocinio, la obra de la redención humana.
Por nuestro Señor Jesucristo, tu Hijo,
que vive y reina contigo en la unidad del Espíritu Santo
y es Dios por los siglos de los siglos.

Oración colecta, Solemnidad de San José

Lectura (*Lectio*)

Lee la siguiente Escritura dos o tres veces.

Mateo 1, 16. 18-21. 24

· Jacob engendró a José, el esposo de María, de la cual nació Jesús, llamado Cristo.

Cristo vino al mundo de la siguiente manera: Estando María, su madre, desposada con José y antes de que vivieran juntos, sucedió que ella, por obra del Espíritu Santo, estaba esperando un hijo. José, su esposo, que era hombre justo, no queriendo ponerla en evidencia, pensó dejarla en secreto.

Mientras pensaba en estas cosas, un ángel del Señor le dijo en sueños: "José, hijo de David, no dudes en recibir en tu casa a María, tu esposa, porque ella ha concebido por obra del Espíritu Santo. Dará a luz un hijo y tú le pondrás el nombre de Jesús, porque él salvará a su pueblo de sus pecados".

Cuando José despertó de aquel sueño, hizo lo que le había mandado el ángel del Señor.

Meditación (*Meditatio*)

Después de la lectura, toma unos momentos para reflexionar en silencio acerca de una o más de las siguientes preguntas:

- ¿Cuál palabra o palabras en este pasaje captaron tu atención?
- ¿Qué parte en este pasaje te consoló?
- ¿Qué parte en este pasaje te desafió?

Si practicas la lectio divina como familia o en un grupo, luego del tiempo de reflexión, invita a los participantes a compartir sus respuestas.

Oración (*Oratio*)

Lee el pasaje de la Escritura una vez más. Dale al Señor la alabanza, petición y acción de gracias que la Palabra te ha inspirado.

Contemplación (*Contemplatio*)

Lee nuevamente el pasaje de la Escritura, seguida de esta reflexión:

～ ¿Qué conversión de la mente, del corazón y de la vida me pide el Señor?

_____

_____

_____

_____

～ *Un ángel del Señor le dijo en sueños* ¿En qué momentos he sentido la presencia del Señor? ¿Cuándo he escuchado la llamada de Dios?

_____

_____

_____

_____

≈ *No dudes en recibir en tu casa a María.* ¿De qué tengo miedo? ¿De qué maneras me impiden mis miedos vivir como discípulo?

_____

_____

_____

_____

≈ *Hizo lo que le había mandado el ángel del Señor.* ¿Cuándo he obedecido el mandato del Señor? ¿Cuándo he dejado de obedecer ese mandato?

_____

_____

_____

_____

≈ *Después de unos momentos de reflexión en silencio, todos recen la Oración del Señor y la siguiente:*

Oración final

Proclamaré sin cesar la misericordia del Señor
y daré a conocer que su fidelidad es eterna,
pues el Señor ha dicho: "Mi amor es para siempre
y mi lealtad, más firme que los cielos.

Un juramento hice a David, mi servidor,
una alianza pacté con mi elegido:
'Consolidaré tu dinastía para siempre
y afianzaré tu trono eternamente'.

Él me podrá decir: 'Tú eres mi padre,
el Dios que me protege y que me salva'.
Yo jamás le retiraré mi amor
no violaré el juramento que le hice".

Del Salmo 88

Vivir la Palabra esta semana

¿Cómo puedo convertir mi vida en un don de caridad para los demás?

Lee el capítulo 5 de la Exhortación Apostólica *Amoris Laetitia* del papa Francisco: *w2.vatican.va/content/ dam/francesco/pdf/apost_exhortations/documents/ papa-francesco_esortazione-ap_20160319_amoris-laetitia_en.pdf.*

20 de marzo 2022

Lectio Divina para la Tercera Semana de Cuaresma

Empecemos nuestra oración:

En el nombre del Padre, y del Hijo, y del Espíritu Santo. Amén.

Que tu constante misericordia, Señor,
purifique y defienda a tu Iglesia
y, ya que sin ti no puede permanecer segura,
guíala siempre con tu protección.
Por nuestro Señor Jesucristo, tu Hijo,
que vive y reina contigo en la unidad del Espíritu Santo
y es Dios por los siglos de los siglos.

Oración colecta, Lunes de la Tercera Semana de Cuaresma

Lectura (*Lectio*)

Lee la siguiente Escritura dos o tres veces.

Lucas 13, 1-9

En aquel tiempo, algunos hombres fueron a ver a Jesús y le contaron que Pilato había mandado matar a unos galileos, mientras estaban ofreciendo sus sacrificios. Jesús les hizo este comentario: "¿Piensan ustedes que aquellos galileos, porque les sucedió esto, eran más pecadores que todos los demás galileos? Ciertamente que no; y si ustedes no se arrepienten, perecerán de manera semejante. Y aquellos dieciocho que murieron aplastados por la torre de Siloé, ¿piensan acaso que eran más culpables que todos los demás habitantes de Jerusalén? Ciertamente que no; y si ustedes no se arrepienten, perecerán de manera semejante".

Entonces les dijo esta parábola: "Un hombre tenía una higuera plantada en su viñedo; fue a buscar higos y no los encontró. Dijo entonces al viñador: 'Mira, durante tres años seguidos he venido a buscar higos en esta higuera y no los he encontrado. Córtala. ¿Para qué ocupa la tierra inútilmente?' El viñador le contestó: 'Señor, déjala todavía este año; voy a aflojar la tierra alrededor y a echarle abono, para ver si da fruto. Si no, el año que viene la cortaré'".

Meditación (*Meditatio*)

Después de la lectura, toma unos momentos para reflexionar en silencio acerca de una o más de las siguientes preguntas:

- ¿Cuál palabra o palabras en este pasaje captaron tu atención?
- ¿Qué parte en este pasaje te consoló?
- ¿Qué parte en este pasaje te desafió?

Si practicas la lectio divina como familia o en un grupo, luego del tiempo de reflexión, invita a los participantes a compartir sus respuestas.

Oración (*Oratio*)

Lee el pasaje de la Escritura una vez más. Dale al Señor la alabanza, petición y acción de gracias que la Palabra te ha inspirado.

Contemplación (*Contemplatio*)

Lee nuevamente el pasaje de la Escritura, seguida de esta reflexión:

≈ ¿Qué conversión de la mente, del corazón y de la vida me pide el Señor?

_____

_____

_____

_____

≈ *¿Piensan ustedes que aquellos galileos, porque les sucedió esto, eran más pecadores que todos los demás galileos?* ¿Cómo muestro compasión hacia quienes sufren? ¿Con cuánta frecuencia me centro en los pecados de los demás en lugar de en mi propia necesidad de arrepentimiento?

_____

_____

_____

_____

≈ *¿Para qué ocupa la tierra inútilmente?* ¿Qué cosas agotan mi compromiso con mi fe? ¿Cómo puedo alimentar mejor la tierra de mi fe?

_____

_____

_____

_____

≈ *Señor, déjala todavía este año; voy a aflojar la tierra alrededor.* ¿Qué cambios en la práctica de mi fe he estado postponiendo (ej. Volver al Sacramento de la Penitencia, asistir a Misa diaria, una oración más regular, más obras de caridad)? ¿Cómo puedo cultivar esas prácticas con mayor compromiso?

_____

_____

_____

_____

≈ *Después de unos momentos de reflexión en silencio, todos recen la Oración del Señor y la siguiente:*

Oración final

Bendice, al Señor, alma mía,
que todo mi ser bendiga su santo nombre.
Bendice, al Señor, alma mía,
y no te olvides de sus beneficios.

El Señor perdona tus pecados
y cura tus enfermedades;
él rescata tu vida del sepulcro
y te colma de amor y de ternura.

El Señor hace justicia
y da la razón al oprimido.
A Moisés le mostró su bondad
y sus prodigios al pueblo de Israel.

El Señor es compasivo y misericordioso,
lento para enojarse y generoso para perdonar.
Como desde la tierra hasta el cielo,
así es de grande su misericordia.

Del Salmo 102

Vivir la Palabra esta semana

¿Cómo puedo convertir mi vida en un don de caridad para los demás?

Comprométete a una nueva práctica espiritual durante el resto de la
Cuaresma.

27 de marzo 2022

Lectio Divina para la Cuarta Semana de Cuaresma

Empecemos nuestra oración:

En el nombre del Padre, y del Hijo, y del Espíritu Santo. Amén.

Señor Dios,
que preparaste abundantes remedios para nuestra fragilidad,
concédenos que podamos recibir con alegría su efecto reparador
y lo manifestemos con una vida santa.
Por nuestro Señor Jesucristo, tu Hijo,
que vive y reina contigo en la unidad del Espíritu Santo
y es Dios por los siglos de los siglos.

Oración colecta, Viernes de la Cuarta Semana de Cuaresma

Lectura (*Lectio*)

Lee la siguiente Escritura dos o tres veces.

Lucas 15, 1-3. 11-32

En aquel tiempo, se acercaban a Jesús los publicanos y los pecadores para escucharlo. Por lo cual los fariseos y los escribas murmuraban entre sí: "Éste recibe a los pecadores y come con ellos".

Jesús les dijo entonces esta parábola: "Un hombre tenía dos hijos, y el menor de ellos le dijo a su padre: 'Padre, dame la parte de la herencia que me toca'. Y él les repartió los bienes.

No muchos días después, el hijo menor, juntando todo lo suyo, se fue a un país lejano y allá derrochó su fortuna, viviendo de una manera disoluta. Después de malgastarlo todo, sobrevino en aquella región una gran hambre y él empezó a padecer necesidad. Entonces fue a pedirle trabajo a un habitante de aquel país, el cual lo mandó a sus campos a cuidar cerdos. Tenía ganas de hartarse con las bellotas que comían los cerdos, pero no lo dejaban que se las comiera.

Se puso entonces a reflexionar y se dijo: '¡Cuántos trabajadores en casa de mi padre tienen pan de sobra, y yo, aquí, me estoy muriendo de hambre! Me levantaré, volveré a mi padre y le diré: Padre, he pecado contra el cielo y contra ti; ya no merezco llamarme hijo tuyo. Recíbeme como a uno de tus trabajadores'.

Enseguida se puso en camino hacia la casa de su padre. Estaba todavía lejos, cuando su padre lo vio y se enterneció profundamente. Corrió hacia él, y echándole los brazos al cuello, lo cubrió de besos. El muchacho le dijo: 'Padre, he pecado contra el cielo y contra ti; ya no merezco llamarme hijo tuyo'.

Pero el padre les dijo a sus criados: '¡Pronto!, traigan la túnica más rica y vístansela; pónganle un anillo en el dedo y sandalias en los pies; traigan el becerro gordo y mátenlo. Comamos y hagamos una fiesta, porque este hijo mío estaba muerto y ha vuelto a la vida, estaba perdido y lo hemos encontrado'. Y empezó el banquete.

El hijo mayor estaba en el campo y al volver, cuando se acercó a la casa, oyó la música y los cantos. Entonces llamó a uno de los criados y le preguntó qué pasaba. Éste le contestó: 'Tu hermano ha regresado y tu padre mandó matar el becerro gordo, por haberlo recobrado sano y salvo'. El hermano mayor se enojó y no quería entrar.

Salió entonces el padre y le rogó que entrara; pero él replicó: '¡Hace tanto tiempo que te sirvo, sin desobedecer jamás una orden tuya, y tú no me has dado nunca ni un cabrito para comérmelo con mis amigos! Pero eso sí, viene ese hijo tuyo, que despilfarró tus bienes con malas mujeres, y tú mandas matar el becerro gordo'.

El padre repuso: 'Hijo, tú siempre estás conmigo y todo lo mío es tuyo. Pero era necesario hacer fiesta y regocijarnos, porque este hermano tuyo estaba muerto y ha vuelto a la vida, estaba perdido y lo hemos encontrado'".

Meditación (*Meditatio*)

Después de la lectura, toma unos momentos para reflexionar en silencio acerca de una o más de las siguientes preguntas:

- ¿Cuál palabra o palabras en este pasaje captaron tu atención?
- ¿Qué parte en este pasaje te consoló?
- ¿Qué parte en este pasaje te desafió?

Si practicas la lectio divina como familia o en un grupo, luego del tiempo de reflexión, invita a los participantes a compartir sus respuestas.

Oración (*Oratio*)

Lee el pasaje de la Escritura una vez más. Dale al Señor la alabanza, petición y acción de gracias que la Palabra te ha inspirado.

Contemplación (*Contemplatio*)

Lee nuevamente el pasaje de la Escritura, seguida de esta reflexión:

≈ ¿Qué conversión de la mente, del corazón y de la vida me pide el Señor?

_____

_____

_____

_____

≈ *Se acercaban a Jesús los publicanos y los pecadores para escucharlo.* ¿En qué momentos he ayudado a otros a acercarse a escuchar a Jesús? ¿Cuándo he sido un obstáculo a su acercarse?

_____

_____

_____

_____

≈ *Allá derrochó su fortuna, viviendo de una manera disoluta... y él empezó a padecer necesidad.* ¿En qué momentos he malgastado el don de mi fe? ¿Qué debo hacer para crecer en fe?

_____

_____

_____

_____

≈ *Este hijo mío estaba muerto y ha vuelto a la vida, estaba perdido y lo hemos encontrado.* ¿En qué momentos me he sentido perdido o muerto en mi vida espiritual? ¿Qué ha sido vivificante para mí?

_____

_____

_____

_____

≈ *Después de unos momentos de reflexión en silencio, todos recen la Oración del Señor y la siguiente:*

Oración final

Bendeciré al Señor a todas horas,
no cesará mi boca de alabarlo.
Yo me siento orgulloso del Señor,
que se alegre su pueblo al escucharlo.

Proclamemos la grandeza del Señor,
y alabemos todos juntos su poder.
Cuando acudí al Señor, me hizo caso
y me libró de todos mis temores.

Confía en el Señor y saltarás de gusto,
jamás te sentirás decepcionado,
porque el Señor escucha el clamor de los pobres
y los libra de todas sus angustias.

Del Salmo 33

Vivir la Palabra esta semana

¿Cómo puedo convertir mi vida en un don de caridad para los demás?

Invita a alguien a acudir a la iglesia para una liturgia, devoción, clase
de formación en la fe, o un proyecto de servicio.

3 de abril 2022

Lectio Divina para la Quinta Semana de Cuaresma

Empecemos nuestra oración:

En el nombre del Padre, y del Hijo, y del Espíritu Santo. Amén.

Ilumina, Dios compasivo, los corazones de tus hijos
que tratan de purificarse por la penitencia
y, ya que nos infundes el deseo de servirte con amor,
dígnate escuchar paternalmente nuestras súplicas.
Por nuestro Señor Jesucristo, tu Hijo,
que vive y reina contigo en la unidad del Espíritu Santo
y es Dios por los siglos de los siglos.

Oración colecta, Miércoles de Cuarta Semana de Cuaresma

Lectura (*Lectio*)

Lee la siguiente Escritura dos o tres veces.

Juan 8, 1-11

En aquel tiempo, Jesús se retiró al monte de los Olivos y al amanecer se presentó de nuevo en el templo, donde la multitud se le acercaba; y él, sentado entre ellos, les enseñaba.

Entonces los escribas y fariseos le llevaron a una mujer sorprendida en adulterio, y poniéndola frente a él, le dijeron: "Maestro, esta mujer ha sido sorprendida en flagrante adulterio. Moisés nos manda en la ley apedrear a estas mujeres. ¿Tú que dices?"

Le preguntaban esto para ponerle una trampa y poder acusarlo. Pero Jesús se agachó y se puso a escribir en el suelo con el dedo. Como insistían en su pregunta, se incorporó y les dijo: "Aquel de ustedes que no tenga pecado, que le tire la primera piedra". Se volvió a agachar y siguió escribiendo en el suelo.

Al oír aquellas palabras, los acusadores comenzaron a escabullirse uno tras otro, empezando por los más viejos, hasta que dejaron solos a Jesús y a la mujer, que estaba de pie, junto a él.

Entonces Jesús se enderezó y le preguntó: "Mujer, ¿dónde están los que te acusaban? ¿Nadie te ha condenado?" Ella le contestó: "Nadie, Señor". Y Jesús le dijo: "Tampoco yo te condeno. Vete y ya no vuelvas a pecar".

Meditación (*Meditatio*)

Después de la lectura, toma unos momentos para reflexionar en silencio acerca de una o más de las siguientes preguntas:

- ¿Cuál palabra o palabras en este pasaje captaron tu atención?
- ¿Qué parte en este pasaje te consoló?
- ¿Qué parte en este pasaje te desafió?

Si practicas la lectio divina como familia o en un grupo, luego del tiempo de reflexión, invita a los participantes a compartir sus respuestas.

Oración (*Oratio*)

Lee el pasaje de la Escritura una vez más. Dale al Señor la alabanza, petición y acción de gracias que la Palabra te ha inspirado.

Contemplación (*Contemplatio*)

Lee nuevamente el pasaje de la Escritura, seguida de esta reflexión:

~ ¿Qué conversión de la mente, del corazón y de la vida me pide el Señor?

~ *Le preguntaban esto para ponerle una trampa y poder acusarlo.* ¿En qué momentos he señalado los defectos o errores de otros? ¿Cómo puedo encontrarme con las personas con bondad en lugar de cinismo?

_____

_____

_____

_____

~ *Empezando por los más viejos.* ¿Cómo han compartido mis mayores la fe conmigo? ¿Cómo puedo ayudar a transmitir la fe a las futuras generaciones?

_____

_____

_____

_____

~ *Tampoco yo te condeno. Vete y ya no vuelvas a pecar.* ¿De qué modos he condenado a otros? Con la ayuda de la gracia de Dios, ¿cómo puedo fomentar el arrepentimiento y la conversión en mi vida?

_____

_____

_____

_____

~ *Después de unos momentos de reflexión en silencio, todos recen la Oración del Señor y la siguiente:*

Oración final

Cuando el Señor nos hizo volver del cautiverio
creíamos soñar:
entonces no cesaba de reír nuestra boca
Ni se cansaba entonces la lengua de cantar.

Aun los mismos paganos con asombro decían:
"¡Grandes cosas ha hecho por ellos el Señor!"
Y estábamos alegres,
pues ha hecho grandes cosas por su pueblo el Señor.

Como cambian los ríos la suerte del desierto,
cambia también ahora nuestra suerte, Señor,
y entre gritos de júbilo
cosecharán aquellos que siembran con dolor.

Al ir, iban llorando, cargando la semilla;
al regresar, cantando vendrán con sus gavillas.

Del Salmo 125

Vivir la Palabra esta semana

¿Cómo puedo convertir mi vida en un don de caridad para los demás?

En estos días finales de la Cuaresma, reflexiona sobre el don del perdón de Dios: *https://www.usccb.org/resources/Penance-Statement-sp.pdf*.

10 de abril 2022

Lectio Divina para la Semana Santa

Empecemos nuestra oración:

En el nombre del Padre, y del Hijo, y del Espíritu Santo. Amén.

Acuérdate, Señor, de tu gran misericordia,
y santifica a tus siervos con tu constante protección,
ya que por ellos Cristo, tu Hijo, derramando su sangre,
instituyó el misterio pascual.
Él, que vive y reina por los siglos de los siglos.

Oración, Viernes Santo

Lectura (*Lectio*)

Lee la siguiente Escritura dos o tres veces.

Lucas 23: 26-46

Mientras lo llevaban a crucificar, echaron mano a un cierto Simón de Cirene, que volvía del campo, y lo obligaron a cargar la cruz, detrás de Jesús. Lo iba siguiendo una gran multitud de hombres y mujeres, que se golpeaban el pecho y lloraban por él. Jesús se volvió hacia las mujeres y les dijo: "Hijas de Jerusalén, no lloren por mí; lloren por ustedes y por sus hijos, porque van a venir días en que se dirá: '¡Dichosas las estériles y los vientres que no han dado a luz y los pechos que no han criado!' Entonces dirán a los montes: 'Desplómense sobre nosotros', y a las colinas: 'Sepúltennos', porque si así tratan al árbol verde, ¿qué pasará con el seco?"

Conducían, además, a dos malhechores, para ajusticiarlos con él. Cuando llegaron al lugar llamado "la Calavera", lo crucificaron allí, a él y a los malhechores, uno a su derecha y el otro a su izquierda. Jesús decía desde la cruz: "Padre, perdónalos, porque no saben lo que hacen". Los soldados se repartieron sus ropas, echando suertes.

El pueblo estaba mirando. Las autoridades le hacían muecas, diciendo: "A otros ha salvado; que se salve a sí mismo, si él es el Mesías de Dios, el elegido". También los soldados se burlaban de Jesús, y acercándose a él, le ofrecían vinagre y le decían: "Si tú eres el rey de los judíos, sálvate a ti mismo". Había, en efecto, sobre la cruz, un letrero en griego, latín y hebreo, que decía: "Éste es el rey de los judíos".

Uno de los malhechores crucificados insultaba a Jesús, diciéndole: "Si tú eres el Mesías, sálvate a ti mismo y a nosotros". Pero el otro le reclamaba, indignado: "¿Ni siquiera temes tú a Dios estando en el mismo suplicio? Nosotros justamente recibimos el pago de lo que hicimos. Pero éste ningún mal ha hecho". Y le decía a Jesús: "Señor, cuando llegues a tu Reino, acuérdate de mí". Jesús le respondió: "Yo te aseguro que hoy estarás conmigo en el paraíso".

Era casi el mediodía, cuando las tinieblas invadieron toda la región y se oscureció el sol hasta las tres de la tarde. El velo del templo se rasgó a la mitad. Jesús, clamando con voz potente, dijo: "¡Padre, en tus manos encomiendo mi espíritu!" Y dicho esto, expiró.

Meditación (*Meditatio*)

Después de la lectura, toma unos momentos para reflexionar en silencio acerca de una o más de las siguientes preguntas:

- ¿Cuál palabra o palabras en este pasaje captaron tu atención?
- ¿Qué parte en este pasaje te consoló?
- ¿Qué parte en este pasaje te desafió?

Si practicas la lectio divina como familia o en un grupo, luego del tiempo de reflexión, invita a los participantes a compartir sus respuestas.

Oración (*Oratio*)

Lee el pasaje de la Escritura una vez más. Dale al Señor la alabanza, petición y acción de gracias que la Palabra te ha inspirado.

Contemplación (*Contemplatio*)

Lee nuevamente el pasaje de la Escritura, seguida de esta reflexión:

≈ ¿Qué conversión de la mente, del corazón y de la vida me pide el Señor?

_____

_____

_____

_____

~ *Lo obligaron a cargar la cruz, detrás de Jesús.* ¿Qué cruces estoy llamado a llevar? ¿Cómo puedo ayudar a los de mi alrededor a llevar sus cruces?

_____

_____

_____

_____

~ *"Padre, perdónalos, porque no saben lo que hacen".* ¿Cómo he pecado por ignorancia o falta de atención? ¿Cómo puedo fomentar en mí un espíritu de conversión y arrepentimiento?

_____

_____

_____

_____

~ *"¡Padre, en tus manos encomiendo mi espíritu!"* ¿Qué preocupaciones y ocupaciones debo colocar en manos del Padre? ¿Cómo puedo aumentar mi confianza en la providencia de Dios?

_____

_____

_____

_____

~ Después de unos momentos de reflexión en silencio, todos recen la Oración del Señor y la siguiente:

Oración final

Todos los que me ven, de mí se burlan;
me hacen gestos y dicen:
"Confiaba en el Señor, pues que él lo salve;
si de veras lo ama, que lo libre".

Los malvados me cercan por doquiera
como rabiosos perros.
Mis manos y mis pies han taladrado
y se puedan contar todos mis huesos.

Reparten entre sí mis vestiduras
y se juegan mi túnica a los dados.
Señor, auxilio mío, ven y ayúdame,
no te quedes de mí tan alejado.

Contaré tu fama a mis hermanos,
en medio de la asamblea te alabaré.
Fieles del Señor, alábenlo;
glorifícalo, linaje de Jacob,
témelo, estirpe de Israel.

Del Salmo 22

Vivir la Palabra esta semana

¿Cómo puedo convertir mi vida en un don de caridad para los demás?

En la medida de lo posible, participa en la celebración parroquial del Triduo Pascual.

17 de abril 2022

Lectio Divina para la Octava de Pascua

Empecemos nuestra oración:

En el nombre del Padre, y del Hijo, y del Espíritu Santo. Amén.

Dios nuestro, que uniste a todos los pueblos diversos
en la confesión de tu nombre,
concede que, quienes renacieron en la fuente bautismal,
tengan una misma fe en sus pensamientos
y un mismo amor en sus obras.
Por nuestro Señor Jesucristo, tu Hijo,
que vive y reina contigo en la unidad del Espíritu Santo
y es Dios por los siglos de los siglos.

Oración colecta, Jueves de la Octava de Pascua

Lectura (*Lectio*)

Lee la siguiente Escritura dos o tres veces.

Lucas 24, 1-12

El primer día después del sábado, muy de mañana, llegaron las mujeres al sepulcro, llevando los perfumes que habían preparado. Encontraron que la piedra ya había sido retirada del sepulcro y entraron, pero no hallaron el cuerpo del Señor Jesús.

Estando ellas todas desconcertadas por esto, se les presentaron dos varones con vestidos resplandecientes. Como ellas se llenaron de miedo e inclinaron el rostro a tierra, los varones les dijeron: "¿Por qué buscan entre los muertos al que está vivo? No está aquí; ha resucitado. Recuerden que cuando estaba todavía en Galilea les dijo: 'Es necesario que el Hijo del hombre sea entregado en manos de los pecadores y sea crucificado y al tercer día resucite'". Y ellas recordaron sus palabras.

Cuando regresaron del sepulcro, las mujeres anunciaron todas estas cosas a los Once y a todos los demás. Las que decían estas cosas a los apóstoles eran María Magdalena, Juana, María (la madre de Santiago) y las demás que estaban con ellas. Pero todas estas palabras les parecían desvaríos y no les creían.

Pedro se levantó y corrió al sepulcro. Se asomó, pero sólo vio los lienzos y se regresó a su casa, asombrado por lo sucedido.

Meditación (*Meditatio*)

Después de la lectura, toma unos momentos para reflexionar en silencio acerca de una o más de las siguientes preguntas:

- ¿Cuál palabra o palabras en este pasaje captaron tu atención?
- ¿Qué parte en este pasaje te consoló?
- ¿Qué parte en este pasaje te desafió?

Si practicas la lectio divina como familia o en un grupo, luego del tiempo de reflexión, invita a los participantes a compartir sus respuestas.

Oración (*Oratio*)

Lee el pasaje de la Escritura una vez más. Dale al Señor la alabanza, petición y acción de gracias que la Palabra te ha inspirado.

Contemplación (*Contemplatio*)

Lee nuevamente el pasaje de la Escritura, seguida de esta reflexión:

~ ¿Qué conversión de la mente, del corazón y de la vida me pide el Señor?

_____

_____

_____

_____

~ *Encontraron que la piedra ya había sido retirada del sepulcro.* ¿Qué obstáculos me impiden vivir mi fe más plenamente? ¿Cómo puedo empezar a retirar tales obstáculos?

_____

_____

_____

_____

~ *Recuerden que cuando estaba todavía en Galilea les dijo.* ¿Qué oración o pasaje de la Escritura recuerdo particularmente? ¿Qué personas o circunstancias me ayudan a arraigarme en mi fe?

_____

_____

_____

_____

~ *Se regresó a su casa, asombrado por lo sucedido.* ¿En qué momentos me ha maravillado la obra de Dios en mi vida? ¿Cómo puedo compartir las maravillosas obras de Dios con los demás?

_____

_____

_____

_____

≈ *Después de unos momentos de reflexión en silencio, todos recen la Oración del Señor y la siguiente:*

Oración final

Te damos gracias, Señor, porque eres bueno,
porque tu misericordia es eterna.
Diga la casa de Israel:
"Su misericordia es eterna".

La diestra del Señor es poderosa,
la diestra del Señor es nuestro orgullo.
No moriré, continuaré viviendo
para contar lo que el Señor ha hecho.

La piedra que desecharon los constructores
es ahora la piedra angular.
Esto es obra de la mano del Señor,
es un milagro patente.

Del Salmo 117

Vivir la Palabra esta semana

¿Cómo puedo convertir mi vida en un don de caridad para los demás?

Únete o comienza un grupo de estudio bíblico en tu parroquia.

24 de abril 2022

Lectio Divina para la II Semana de Pascua

Empecemos nuestra oración:

En el nombre del Padre, y del Hijo, y del Espíritu Santo. Amén.

Te pedimos, Dios todopoderoso,
que nos concedas anunciar la victoria de Cristo resucitado,
para que alcancemos en plenitud los bienes eternos,
cuyo anticipo hemos recibido.
Por nuestro Señor Jesucristo, tu Hijo,
que vive y reina contigo en la unidad del Espíritu Santo
y es Dios por los siglos de los siglos.

Oración colecta, Martes de la II semana de Pascua

Lectura (*Lectio*)

Lee la siguiente Escritura dos o tres veces.

Juan 20, 19-31

Al anochecer del día de la resurrección, estando cerradas las puertas de la casa donde se hallaban los discípulos, por miedo a los judíos, se presentó Jesús en medio de ellos y les dijo: "La paz esté con ustedes". Dicho esto, les mostró las manos y el costado. Cuando los discípulos vieron al Señor, se llenaron de alegría.

De nuevo les dijo Jesús: "La paz esté con ustedes. Como el Padre me ha enviado, así también los envío yo". Después de decir esto, sopló sobre ellos y les dijo: "Reciban el Espíritu Santo. A los que les perdonen los pecados, les quedarán perdonados; y a los que no se los perdonen, les quedarán sin perdonar".

Tomás, uno de los Doce, a quien llamaban el Gemelo, no estaba con ellos cuando vino Jesús, y los otros discípulos le decían: "Hemos visto al Señor". Pero él les contestó: "Si no veo en sus manos la señal de los clavos y si no meto mi dedo en los agujeros de los clavos y no meto mi mano en su costado, no creeré".

Ocho días después, estaban reunidos los discípulos a puerta cerrada y Tomás estaba con ellos. Jesús se presentó de nuevo en medio de ellos y les dijo: "La paz esté con ustedes". Luego le dijo a Tomás: "Aquí están mis manos; acerca tu dedo. Trae acá tu mano, métela en mi costado y no sigas dudando, sino cree". Tomás le respondió: "¡Señor mío y Dios mío!" Jesús añadió: "Tú crees porque me has visto; dichosos los que creen sin haber visto".

Otros muchos signos hizo Jesús en presencia de sus discípulos, pero no están escritos en este libro. Se escribieron éstas para que ustedes crean que Jesús es el Mesías, el Hijo de Dios, y para que, creyendo, tengan vida en su nombre.

Meditación (*Meditatio*)

Después de la lectura, toma unos momentos para reflexionar en silencio acerca de una o más de las siguientes preguntas:

- ¿Cuál palabra o palabras en este pasaje captaron tu atención?
- ¿Qué parte en este pasaje te consoló?
- ¿Qué parte en este pasaje te desafió?

Si practicas la lectio divina como familia o en un grupo, luego del tiempo de reflexión, invita a los participantes a compartir sus respuestas.

Oración (*Oratio*)

Lee el pasaje de la Escritura una vez más. Dale al Señor la alabanza, petición y acción de gracias que la Palabra te ha inspirado.

Contemplación (*Contemplatio*)

Lee nuevamente el pasaje de la Escritura, seguida de esta reflexión:

≈ ¿Qué conversión de la mente, del corazón y de la vida me pide el Señor?

_____

_____

_____

_____

~ *Cerradas las puertas de la casa . . . por miedo.* ¿Qué temores me impiden compartir mi fe? ¿Qué temores me impiden salir al encuentro de los demás en amor?

~ *Les mostró las manos y el costado.* ¿En qué momentos he visto a Jesús en el sufrimiento de mis hermanos y hermanas? ¿Qué sufrimiento puedo ofrecer por las necesidades del mundo?

~ *Dichosos los que creen sin haber visto.* ¿Qué personas o acontecimientos me han ayudado a crecer en la fe? ¿Cómo puedo compartir a Cristo con quienes no creen?

~ *Después de unos momentos de reflexión en silencio, todos recen la Oración del Señor y la siguiente:*

Oración final

Diga la casa de Israel: "Su misericordia es eterna".
Diga la casa de Aarón: "Su misericordia es eterna".
Digan los que temen al Señor: "Su misericordia es eterna".

La piedra que desecharon los constructores,
es ahora la piedra angular.
Esto es obra de la mano del Señor,
es un milagro patente.
Este es el día de triunfo del Señor:
día de júbilo y de gozo.

Libéranos, Señor, y danos tu victoria.
Bendito el que viene en nombre del Señor.
Que Dios desde su templo nos bendiga.
Que el Señor, nuestro Dios, nos ilumine.

Del Salmo 117

Vivir la Palabra esta semana

¿Cómo puedo convertir mi vida en un don de caridad para los demás?

Busca modos de participar en los esfuerzos de evangelización de tu parroquia o diócesis.

1º de mayo 2022

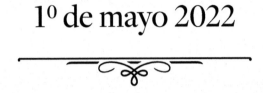

Lectio Divina para la III Semana de Pascua

Empecemos nuestra oración:

En el nombre del Padre, y del Hijo, y del Espíritu Santo. Amén.

Dios nuestro,
que renovaste en la fuente bautismal a los que creen en ti,
protege a quienes renacieron en Cristo,
para que, evitando todas las asechanzas del error,
conserven fielmente la gracia de tu bendición.
Por nuestro Señor Jesucristo, tu Hijo,
que vive y reina contigo en la unidad del Espíritu Santo
y es Dios por los siglos de los siglos.

Oración colecta, Sábado de la III semana de Pascua

Lectura (*Lectio*)

Lee la siguiente Escritura dos o tres veces.

Juan 21, 1-19 o 21, 1-14

En aquel tiempo, Jesús se les apareció otra vez a los discípulos junto al lago de Tiberíades. Se les apareció de esta manera:

Estaban juntos Simón Pedro, Tomás (llamado el Gemelo), Natanael (el de Caná de Galilea), los hijos de Zebedeo y otros dos discípulos. Simón Pedro les dijo: "Voy a pescar". Ellos le respondieron: "También nosotros vamos contigo". Salieron y se embarcaron, pero aquella noche no pescaron nada.

Estaba amaneciendo, cuando Jesús se apareció en la orilla, pero los discípulos no lo reconocieron. Jesús les dijo: "Muchachos, ¿han pescado algo?" Ellos contestaron: "No". Entonces él les dijo: "Echen la red a la derecha de la barca y encontrarán peces". Así lo hicieron, y luego ya no podían jalar la red por tantos pescados.

Entonces el discípulo a quien amaba Jesús le dijo a Pedro: "Es el Señor". Tan pronto como Simón Pedro oyó decir que era el Señor, se anudó a la cintura la túnica, pues se la había quitado, y se tiró al agua. Los otros discípulos llegaron en la barca, arrastrando la red con los pescados, pues no distaban de tierra más de cien metros.

Tan pronto como saltaron a tierra, vieron unas brasas y sobre ellas un pescado y pan. Jesús les dijo: "Traigan algunos pescados de los que acaban de pescar". Entonces Simón Pedro subió a la barca y arrastró hasta la orilla la red, repleta de pescados grandes. Eran ciento cincuenta y tres, y a pesar de que eran tantos, no se rompió la red. Luego les dijo Jesús: "Vengan a almorzar". Y ninguno de los discípulos se atrevía a preguntarle: '¿Quién eres?', porque ya sabían que era el Señor. Jesús se acercó, tomó el pan y se lo dio y también el pescado. Ésta fue la tercera vez que Jesús se apareció a sus discípulos después de resucitar de entre los muertos.

Después de almorzar le preguntó Jesús a Simón Pedro: "Simón, hijo de Juan, ¿me amas más que éstos?" Él le contestó: "Sí, Señor, tú sabes que te quiero". Jesús le dijo: "Apacienta mis corderos". Por segunda vez le preguntó: "Simón, hijo de Juan, ¿me amas?" Él le respondió: "Sí, Señor, tú sabes que te quiero". Jesús le dijo: "Pastorea mis ovejas". Por tercera vez le preguntó: "Simón, hijo de

Juan, ¿me quieres?" Pedro se entristeció de que Jesús le hubiera preguntado por tercera vez si lo quería y le contestó: "Señor, tú lo sabes todo; tú bien sabes que te quiero". Jesús le dijo: "Apacienta mis ovejas. Yo te aseguro: cuando eras joven, tú mismo te ceñías la ropa e ibas a donde querías; pero cuando seas viejo, extenderás los brazos y otro te ceñirá y te llevará a donde no quieras". Esto se lo dijo para indicarle con qué género de muerte habría de glorificar a Dios. Después le dijo: "Sígueme".

Meditación (*Meditatio*)

Después de la lectura, toma unos momentos para reflexionar en silencio acerca de una o más de las siguientes preguntas:

- ¿Cuál palabra o palabras en este pasaje captaron tu atención?
- ¿Qué parte en este pasaje te consoló?
- ¿Qué parte en este pasaje te desafió?

Si practicas la lectio divina como familia o en un grupo, luego del tiempo de reflexión, invita a los participantes a compartir sus respuestas.

Oración (*Oratio*)

Lee el pasaje de la Escritura una vez más. Dale al Señor la alabanza, petición y acción de gracias que la Palabra te ha inspirado.

Contemplación (*Contemplatio*)

Lee nuevamente el pasaje de la Escritura, seguida de esta reflexión:

≈ ¿Qué conversión de la mente, del corazón y de la vida me pide el Señor?

_____

_____

_____

_____

≈ *Salieron y se embarcaron, pero aquella noche no pescaron nada.* ¿En qué momentos me he sentido como si mis prácticas espirituales fueran inútiles? ¿Qué me ayuda a perseverar en mi vivencia de fe?

_____

_____

_____

≈ *Entonces el discípulo a quien amaba Jesús le dijo a Pedro: "Es el Señor".* ¿Quién me ha ayudado a reconocer al Señor? ¿Cómo puedo ayudar a otros a encontrarse con Jesús?

_____

_____

～ *"Señor, tú lo sabes todo; tú bien sabes que te quiero".* ¿Cómo muestro mi amor por Dios? ¿Cómo siento el amor de Dios hacia mí?

_____

_____

_____

_____

～ *Después de unos momentos de reflexión en silencio, todos recen la Oración del Señor y la siguiente:*

Oración final

Te alabaré, Señor, pues no dejaste
que se rieran de mí mis enemigos.
Tú, Señor, me salvaste de la muerte
ya a punto de morir, me reviviste.

Alaban al Señor quienes lo aman,
den gracias a su nombre,
porque su ira dura un solo instante
y su bondad, toda la vida.
El llanto nos visita por la tarde;
por la mañana, el júbilo.

Escúchame, Señor, y compadécete;
Señor, ven en mi ayuda.
Convertiste mi duelo en alegría,
te alabaré por eso eternamente.

Del Salmo 29

Vivir la Palabra esta semana

¿Cómo puedo convertir mi vida en un don de caridad para los demás?

Pasa algún tiempo en oración ante el Santísimo Sacramento,
descansando en el amor de Dios.

8 de mayo 2022

Lectio Divina para la IV Semana de Pascua

Empecemos nuestra oración:

En el nombre del Padre, y del Hijo, y del Espíritu Santo. Amén.

Señor Dios, autor de nuestra libertad y salvación,
oye la voz de los que te suplican
y a quienes redimiste por la Sangre derramada de tu Hijo,
concédeles vivir para ti
y que puedan gozar en ti de inmortalidad eterna.
Por nuestro Señor Jesucristo, tu Hijo,
que vive y reina contigo en la unidad del Espíritu Santo
y es Dios por los siglos de los siglos.

Oración colecta, Viernes de la IV semana de Pascua

Lectura (*Lectio*)

Lee la siguiente Escritura dos o tres veces.

Juan 10, 27-30

En aquel tiempo, Jesús dijo a los judíos: "Mis ovejas escuchan mi voz; yo las conozco y ellas me siguen. Yo les doy la vida eterna y no perecerán jamás; nadie las arrebatará de mi mano. Me las ha dado mi Padre, y él es superior a todos, y nadie puede arrebatarlas de la mano del Padre. El Padre y yo somos uno".

Meditación (*Meditatio*)

Después de la lectura, toma unos momentos para reflexionar en silencio acerca de una o más de las siguientes preguntas:

- ¿Cuál palabra o palabras en este pasaje captaron tu atención?
- ¿Qué parte en este pasaje te consoló?
- ¿Qué parte en este pasaje te desafió?

Si practicas la lectio divina como familia o en un grupo, luego del tiempo de reflexión, invita a los participantes a compartir sus respuestas.

Oración (*Oratio*)

Lee el pasaje de la Escritura una vez más. Dale al Señor la alabanza, petición y acción de gracias que la Palabra te ha inspirado.

Contemplación (*Contemplatio*)

Lee nuevamente el pasaje de la Escritura, seguida de esta reflexión:

≈ ¿Qué conversión de la mente, del corazón y de la vida me pide el Señor?

_____

_____

_____

_____

≈ *Yo las conozco.* ¿Qué partes de mi corazón trato de ocultarle a Dios? ¿Cómo puedo esforzarme por conocer a Dios como Dios me conoce a mí?

_____

_____

_____

_____

≈ *Nadie las arrebatará de mi mano.* ¿En qué momentos he sentido el amor protector de Dios? ¿Cómo puedo apoyar a quienes tienen luchas en su fe?

_____

_____

~ *Me las ha dado mi Padre, y él es superior a todos.* ¿En qué momentos he visto el poder del Señor en acción? ¿Cómo puedo nutrir el sentido de asombro y maravilla en la presencia de Dios?

_____

_____

_____

_____

~ *Después de unos momentos de reflexión en silencio, todos recen la Oración del Señor y la siguiente:*

Oración final

Alabemos a Dios todos los hombres,
sirvamos al Señor con alegría
y con júbilo entremos en su templo.

Reconozcamos que el Señor es Dios,
que él fue quien nos hizo y somos suyos,
que somos su pueblo y su rebaño.

Porque el Señor es bueno, bendigámoslo,
porque es eterna su misericordia
y su fidelidad nunca se acaba.

Del Salmo 99

Vivir la Palabra esta semana

¿Cómo puedo convertir mi vida en un don de caridad para los demás?

Encuentra un modo de apoyar los esfuerzos pro-vida en tu parroquia de acompañar a mamás necesitadas.

15 de mayo 2022

Lectio Divina para la V Semana de Pascua

Empecemos nuestra oración:

En el nombre del Padre, y del Hijo, y del Espíritu Santo. Amén.

Dios nuestro, que amas la inocencia
y la devuelves a los que la han perdido,
atrae hacia ti el corazón de tus siervos,
para que, rescatados por ti de las tinieblas de la incredulidad,
ya nunca se aparten de la luz de tu verdad.
Por nuestro Señor Jesucristo, tu Hijo,
que vive y reina contigo en la unidad del Espíritu Santo
y es Dios por los siglos de los siglos.

Oración colecta, Miércoles de la V semana de Pascua

Lectura (*Lectio*)

Lee la siguiente Escritura dos o tres veces.

Juan 13, 31-33a. 34-35

Cuando Judas salió del cenáculo, Jesús dijo: "Ahora ha sido glorificado el Hijo del hombre y Dios ha sido glorificado en él. Si Dios ha sido glorificado en él, también Dios lo glorificará en sí mismo y pronto lo glorificará.

Hijitos, todavía estaré un poco con ustedes. Les doy un mandamiento nuevo: que se amen los unos a los otros, como yo los he amado; y por este amor reconocerán todos que ustedes son mis discípulos".

Meditación (*Meditatio*)

Después de la lectura, toma unos momentos para reflexionar en silencio acerca de una o más de las siguientes preguntas:

- ¿Cuál palabra o palabras en este pasaje captaron tu atención?
- ¿Qué parte en este pasaje te consoló?
- ¿Qué parte en este pasaje te desafió?

Si practicas la lectio divina como familia o en un grupo, luego del tiempo de reflexión, invita a los participantes a compartir sus respuestas.

Oración (*Oratio*)

Lee el pasaje de la Escritura una vez más. Dale al Señor la alabanza, petición y acción de gracias que la Palabra te ha inspirado.

Contemplación (*Contemplatio*)

Lee nuevamente el pasaje de la Escritura, seguida de esta reflexión:

∼ ¿Qué conversión de la mente, del corazón y de la vida me pide el Señor?

_____

_____

_____

_____

∼ *Hijitos, todavía estaré un poco con ustedes.* ¿En qué momentos he sentido que Dios estaba lejos de mí? ¿En qué momentos he sentido la cercanía de Dios?

_____

_____

_____

_____

~ *Les doy un mandamiento nuevo: que se amen los unos a los otros.* ¿Quién necesita más de mi amor esta semana? ¿A quién se me hace difícil amar?

_____

_____

_____

_____

~ *Por este amor reconocerán todos que ustedes son mis discípulos.* ¿Cómo respondo a los demás en fe? ¿Cómo puedo poner mi fe en acción más eficazmente?

_____

_____

_____

_____

~ *Después de unos momentos de reflexión en silencio, todos recen la Oración del Señor y la siguiente:*

Oración final

El Señor es compasivo y misericordioso,
lento para enojarse y generoso para perdonar.
Bueno es el Señor para con todos
y su amor se extiende a todas sus creaturas.

Que te alaben, Señor, todas tus obras
y que todos tus fieles te bendigan.
Que proclamen la gloria de tu reino
Y den a conocer tus maravillas.

Que muestren a los hombres tus proezas,
el esplendor y la gloria de tu reino.
Tu reino, Señor, es para siempre,
y tu imperio, por todas las generaciones.

Del Salmo 144

Vivir la Palabra esta semana

¿Cómo puedo convertir mi vida en un don de caridad para los demás?

Aprende más sobre la doctrina social católica (*https://www.usccb.org/ es/node/32/la-ensenanza-social-catolica*) como una manera de poner tu fe en acción.

22 de mayo 2022

Lectio Divina para la VI Semana de Pascua

Empecemos nuestra oración:

En el nombre del Padre, y del Hijo, y del Espíritu Santo. Amén.

Concédenos, Dios misericordioso,
que por la celebración del misterio de la Pascua
que nos mandaste conmemorar,
experimentemos en todo tiempo su fruto.
Por nuestro Señor Jesucristo, tu Hijo,
que vive y reina contigo en la unidad del Espíritu Santo
y es Dios por los siglos de los siglos.

Oración colecta, Lunes de la VI semana de Pascua

Lectura (*Lectio*)

Lee la siguiente Escritura dos o tres veces.

Juan 14, 23-29

En aquel tiempo, Jesús dijo a sus discípulos: "El que me ama, cumplirá mi palabra y mi Padre lo amará y vendremos a él y haremos en él nuestra morada. El que no me ama no cumplirá mis palabras. La palabra que están oyendo no es mía, sino del Padre, que me envió. Les he hablado de esto ahora que estoy con ustedes; pero el Paráclito, el Espíritu Santo que mi Padre les enviará en mi nombre, les enseñará todas las cosas y les recordará todo cuanto yo les he dicho.

La paz les dejo, mi paz les doy. No se la doy como la da el mundo. No pierdan la paz ni se acobarden. Me han oído decir: 'Me voy, pero volveré a su lado'. Si me amaran, se alegrarían de que me vaya al Padre, porque el Padre es más que yo. Se lo he dicho ahora, antes de que suceda, para que cuando suceda, crean".

Meditación (*Meditatio*)

Después de la lectura, toma unos momentos para reflexionar en silencio acerca de una o más de las siguientes preguntas:

- ¿Cuál palabra o palabras en este pasaje captaron tu atención?
- ¿Qué parte en este pasaje te consoló?
- ¿Qué parte en este pasaje te desafió?

Si practicas la lectio divina como familia o en un grupo, luego del tiempo de reflexión, invita a los participantes a compartir sus respuestas.

Oración (*Oratio*)

Lee el pasaje de la Escritura una vez más. Dale al Señor la alabanza, petición y acción de gracias que la Palabra te ha inspirado.

Contemplación (*Contemplatio*)

Lee nuevamente el pasaje de la Escritura, seguida de esta reflexión:

∼ ¿Qué conversión de la mente, del corazón y de la vida me pide el Señor?

_____

_____

_____

_____

∼ *Vendremos a él y haremos en él nuestra morada.* ¿Dónde siento la presencia de Dios más fuertemente? ¿Cómo puedo encontrar al Señor que habita en otros?

_____

_____

_____

_____

∼ *El Paráclito, el Espíritu Santo que mi Padre les enviará en mi nombre, les enseñará todas las cosas.* ¿Qué tanto conozco mi fe? ¿Cómo puedo crecer en mi conocimiento y amor de Dios?

_____

_____

_____

~ *No se [paz] doy como la da el mundo.* ¿En qué partes de mi vida siento la necesidad de la paz de Dios? ¿Cómo puedo ser una fuerza de paz y unidad?

_____

_____

_____

_____

~ *Después de unos momentos de reflexión en silencio, todos recen la Oración del Señor y la siguiente:*

Oración final

Ten piedad de nosotros y bendícenos;
vuelve, Señor, tus ojos a nosotros.
Que conozca la tierra tu bondad
y los pueblos tu obra de salvación.

Las naciones con júbilo te canten,
porque juzgas al mundo con justicia;
con equidad tú juzgas a los pueblos
y riges en la tierra a las naciones.

Que te alaben, Señor, todos los pueblos,
que los pueblos te aclamen todos juntos.
Que nos bendiga Dios
y que le rinda honor el mundo entero.

Del Salmo 66

Vivir la Palabra esta semana

¿Cómo puedo convertir mi vida en un don de caridad para los demás?

Lee el capítulo 7 de la encíclica *Fratelli tutti* del papa Francisco sobre la paz y el perdón (*www.vatican.va/content/francesco/es/encyclicals/ documents/papa-francesco_20201003_enciclica-fratelli-tutti.html*).

26 de mayo 2022

Lectio Divina para la Solemnidad del Ascensión del Señor

Empecemos nuestra oración:

En el nombre del Padre, y del Hijo, y del Espíritu Santo. Amén.

Concédenos, Dios todopoderoso, rebosar de santa alegría
y, gozosos, elevar a ti fervorosas gracias
ya que la Ascensión de Cristo, tu Hijo, es también nuestra victoria,
pues a donde llegó él, que es nuestra cabeza,
esperamos llegar también nosotros, que somos su cuerpo.
Por nuestro Señor Jesucristo, tu Hijo,
que vive y reina contigo en la unidad del Espíritu Santo
y es Dios por los siglos de los siglos.

Oración colecta, Solemnidad del Ascensión, Misa del Día

Lectura (*Lectio*)

Lee la siguiente Escritura dos o tres veces.

Lucas 24, 46-53

> En aquel tiempo, Jesús se apareció a sus discípulos y les dijo: "Está escrito que el Mesías tenía que padecer y había de resucitar de entre los muertos al tercer día, y que en su nombre se había de predicar a todas las naciones, comenzando por Jerusalén, la necesidad de volverse a Dios para el perdón de los pecados. Ustedes son testigos de esto. Ahora yo les voy a enviar al que mi Padre les prometió. Permanezcan, pues, en la ciudad, hasta que reciban la fuerza de lo alto".
>
> Después salió con ellos fuera de la ciudad, hacia un lugar cercano a Betania; levantando las manos, los bendijo, y mientras los bendecía, se fue apartando de ellos y elevándose al cielo. Ellos, después de adorarlo, regresaron a Jerusalén, llenos de gozo, y permanecían constantemente en el templo, alabando a Dios.

Meditación (*Meditatio*)

Después de la lectura, toma unos momentos para reflexionar en silencio acerca de una o más de las siguientes preguntas:

- ¿Cuál palabra o palabras en este pasaje captaron tu atención?
- ¿Qué parte en este pasaje te consoló?
- ¿Qué parte en este pasaje te desafió?

Si practicas la lectio divina como familia o en un grupo, luego del tiempo de reflexión, invita a los participantes a compartir sus respuestas.

Oración (*Oratio*)

Lee el pasaje de la Escritura una vez más. Dale al Señor la alabanza, petición y acción de gracias que la Palabra te ha inspirado.

Contemplación (*Contemplatio*)

Lee nuevamente el pasaje de la Escritura, seguida de esta reflexión:

∾ ¿Qué conversión de la mente, del corazón y de la vida me pide el Señor?

_____

_____

_____

_____

∾ *Está escrito que el Mesías tenía que padecer.* ¿A qué vicisitudes me estoy enfrentando? ¿Cómo puedo unir mi sufrimiento al sufrimiento de Cristo?

_____

_____

_____

_____

≈ *Ahora yo les voy a enviar al que mi Padre les prometió.* ¿En qué promesas de Dios confío más? ¿Cómo puedo aumentar mi confianza en las promesas de Dios?

_____

_____

_____

_____

≈ *Ellos, después de adorarlo, regresaron a Jerusalén, llenos de gozo.* ¿Qué aspectos de mi fe me producen alegría? ¿Cómo puedo compartir mi alegría con los demás?

_____

_____

_____

_____

≈ *Después de unos momentos de reflexión en silencio, todos recen la Oración del Señor y la siguiente:*

Oración final

Aplaudan, pueblos todos,
aclamen al Señor, de gozos llenos;
que el Señor, el Altísimo, es terrible
y de toda la tierra, rey supremo.

Entre voces de júbilo y trompetas,
Dios, el Señor, asciende hasta su trono.
Cantemos en honor de nuestro Dios,
al rey honremos y cantemos todos.

Porque Dios es el rey del universo,
cantemos el mejor de nuestros cantos.
Reina Dios sobre todas las naciones
desde su trono santo.

Del Salmo 46

Vivir la Palabra esta semana

¿Cómo puedo convertir mi vida en un don de caridad para los demás?

Ofrece una dificultad u otro desafío por las intenciones de la Iglesia y del mundo.

29 de mayo 2022

Lectio Divina para la VII Semana de Pascua

Empecemos nuestra oración:

En el nombre del Padre, y del Hijo, y del Espíritu Santo. Amén.

Te pedimos, Dios omnipotente y misericordioso,
que venga a nosotros el Espíritu Santo,
que se digne habitar en nuestros corazones
y nos perfeccione como templos de su gloria.
Por nuestro Señor Jesucristo, tu Hijo,
que vive y reina contigo en la unidad del Espíritu Santo
y es Dios por los siglos de los siglos.

Oración colecta, Martes de la VII semana de Pascua

Lectura (*Lectio*)

Lee la siguiente Escritura dos o tres veces.

Juan 17, 20-26

En aquel tiempo, Jesús levantó los ojos al cielo y dijo: "Padre, no sólo te pido por mis discípulos, sino también por los que van a creer en mí por la palabra de ellos, para que todos sean uno, como tú, Padre, en mí y yo en ti somos uno, a fin de que sean uno en nosotros y el mundo crea que tú me has enviado.

Yo les he dado la gloria que tú me diste, para que sean uno, como nosotros somos uno. Yo en ellos y tú en mí, para que su unidad sea perfecta y así el mundo conozca que tú me has enviado y que los amas, como me amas a mí.

Padre, quiero que donde yo esté, estén también conmigo los que me has dado, para que contemplen mi gloria, la que me diste, porque me has amado desde antes de la creación del mundo.

Padre justo, el mundo no te ha conocido; pero yo sí te conozco y éstos han conocido que tú me enviaste. Yo les he dado a conocer tu nombre y se lo seguiré dando a conocer, para que el amor con que me amas esté en ellos y yo también en ellos".

Meditación (*Meditatio*)

Después de la lectura, toma unos momentos para reflexionar en silencio acerca de una o más de las siguientes preguntas:

- ¿Cuál palabra o palabras en este pasaje captaron tu atención?
- ¿Qué parte en este pasaje te consoló?
- ¿Qué parte en este pasaje te desafió?

Si practicas la lectio divina como familia o en un grupo, luego del tiempo de reflexión, invita a los participantes a compartir sus respuestas.

Oración (*Oratio*)

Lee el pasaje de la Escritura una vez más. Dale al Señor la alabanza, petición y acción de gracias que la Palabra te ha inspirado.

Contemplación (*Contemplatio*)

Lee nuevamente el pasaje de la Escritura, seguida de esta reflexión:

～ ¿Qué conversión de la mente, del corazón y de la vida me pide el Señor?

_____

_____

_____

_____

～ *El mundo crea que tú me has enviado.* ¿Con qué frecuencia me encuentro con quienes no creen en Dios o han abandonado la práctica de su fe? ¿Cómo puedo extender hospitalidad y apoyo a esas personas?

_____

_____

_____

_____

~ *Para que su unidad sea perfecta.* ¿Qué partes de mi vida necesitan perfeccionamiento? ¿Cómo puedo nutrir un espíritu de conversión continua?

_____

_____

_____

_____

~ *Donde yo esté, estén también conmigo los que me has dado.* ¿Cómo puedo recordarme a mí mismo la presencia y la acción de Dios en mi vida? ¿Cómo puedo seguir a Jesús más de cerca?

_____

_____

_____

_____

Después de unos momentos de reflexión en silencio, todos recen la Oración del Señor y la siguiente:

Oración final

Reina al Señor, alégrese la tierra;
cante de regocijo el mundo entero.
El trono del Señor se asienta
en la justicia y el derecho.

Los cielos pregonan su justicia,
su inmensa gloria ven todos los pueblos.
Que caigan ante Dios todos los dioses.

Tú, Señor altísimo,
estás muy por encima de la tierra
y mucho más en alto que los dioses.

Del Salmo 96

Vivir la Palabra esta semana

¿Cómo puedo convertir mi vida en un don de caridad para los demás?

Aprende más sobre salir al encuentro de los no afiliados a una religión (página en inglés, con un recurso en español): *www.usccb.org/committees/evangelization-catechesis/outreach-unaffiliated.*

5 de junio 2022

Lectio Divina para la Solemnidad del Pentecostés

Empecemos nuestra oración:

En el nombre del Padre, y del Hijo, y del Espíritu Santo. Amén.

Concede, Dios todopoderoso,
que resplandezca sobre nosotros el fulgor de tu gloria,
y tú, luz de luz, mediante la iluminación del Espíritu Santo,
reafirma los corazones
de quienes, por tu gracia, renacieron a una vida nueva.
Por nuestro Señor Jesucristo, tu Hijo,
que vive y reina contigo en la unidad del Espíritu Santo
y es Dios por los siglos de los siglos.

Oración después de la cuarta lectura, Solemnidad de Pentecostés, Vigilia,
segunda opción

Lectura (*Lectio*)

Lee la siguiente Escritura dos o tres veces.

Juan 14, 15-16. 23b-26

En aquel tiempo, Jesús dijo a sus discípulos: "Si me aman, cumplirán mis mandamientos; yo le rogaré al Padre y él les dará otro Paráclito para que esté siempre con ustedes, el Espíritu de la verdad.

El que me ama, cumplirá mi palabra y mi Padre lo amará y vendremos a él y haremos en él nuestra morada. El que no me ama no cumplirá mis palabras. Y la palabra que están oyendo no es mía, sino del Padre, que me envió.

Les he hablado de esto ahora que estoy con ustedes; pero el Paráclito, el Espíritu Santo que mi Padre les enviará en mi nombre, les enseñará todas las cosas y les recordará todo cuanto yo les he dicho".

Meditación (*Meditatio*)

Después de la lectura, toma unos momentos para reflexionar en silencio acerca de una o más de las siguientes preguntas:

- ¿Cuál palabra o palabras en este pasaje captaron tu atención?
- ¿Qué parte en este pasaje te consoló?
- ¿Qué parte en este pasaje te desafió?

Si practicas la lectio divina como familia o en un grupo, luego del tiempo de reflexión, invita a los participantes a compartir sus respuestas.

Oración (*Oratio*)

Lee el pasaje de la Escritura una vez más. Dale al Señor la alabanza, petición y acción de gracias que la Palabra te ha inspirado.

Contemplación (*Contemplatio*)

Lee nuevamente el pasaje de la Escritura, seguida de esta reflexión:

~ ¿Qué conversión de la mente, del corazón y de la vida me pide el Señor?

_____

_____

_____

~ *Él les dará otro Paráclito para que esté siempre con ustedes.* ¿Cómo ha enriquecido mi vida el don del Espíritu? ¿Cómo puedo nutrir los frutos del Espíritu en mi vida diaria?

_____

_____

_____

~ *El que me ama, cumplirá mi palabra.* ¿Cómo puedo hacer la lectura y oración sobre la Escritura parte de mi vida? ¿Cómo me puede ayudar la Escritura a crecer en mi amor por Dios y mi prójimo?

\
\
\
\

~ *Y la palabra que están oyendo no es mía.* ¿Cómo puedo discernir la voz de Dios? ¿Qué fuentes confiables puedo tener al alcance para aprender sobre mi fe?

\
\
\
\

~ *Después de unos momentos de reflexión en silencio, todos recen la Oración del Señor y la siguiente:*

Oración final

Bendice, al Señor, alma mía;
Señor y Dios mío, inmensa es su grandeza.
¡Qué numerosas son tus obras, Señor!
La tierra está llena de tus creaturas.

Si retiras tu aliento,
toda creatura muere y vuelve al polvo.
pero envías tu espíritu, que da vida,
y renuevas el aspecto de la tierra.

Que Dios sea glorificado para siempre
y se goce en sus creaturas.
Ojalá que le agraden mis palabras
y yo me alegraré en el Señor.

Del Salmo 103

Vivir la Palabra esta semana

¿Cómo puedo convertir mi vida en un don de caridad para los demás?

Únete a un esfuerzo de activismo diocesano, estatal o nacional para
hablar a favor de los menos privilegiados y los que no tienen voz.

12 de junio 2022

Lectio Divina para la Solemnidad de la Santísima Trinidad

Empecemos nuestra oración:

En el nombre del Padre, y del Hijo, y del Espíritu Santo. Amén.

Dios Padre, que al enviar al mundo
la Palabra de verdad y el Espíritu santificador,
revelaste a todos los hombres tu misterio admirable,
concédenos que, profesando la fe verdadera,
reconozcamos la gloria de la eterna Trinidad
y adoremos la Unidad de su majestad omnipotente.
Por nuestro Señor Jesucristo, tu Hijo,
que vive y reina contigo en la unidad del Espíritu Santo
y es Dios por los siglos de los siglos.

Oración colecta, Solemnidad de la Santísima Trinidad

Lectura (*Lectio*)

Lee la siguiente Escritura dos o tres veces.

Juan 16, 12-15

En aquel tiempo, Jesús dijo a sus discípulos: "Aún tengo muchas cosas que decirles, pero todavía no las pueden comprender. Pero cuando venga el Espíritu de la verdad, él los irá guiando hasta la verdad plena, porque no hablará por su cuenta, sino que dirá lo que haya oído y les anunciará las cosas que van a suceder. Él me glorificará, porque primero recibirá de mí lo que les vaya comunicando. Todo lo que tiene el Padre es mío. Por eso he dicho que tomará de lo mío y se lo comunicará a ustedes".

Meditación (*Meditatio*)

Después de la lectura, toma unos momentos para reflexionar en silencio acerca de una o más de las siguientes preguntas:

- ¿Cuál palabra o palabras en este pasaje captaron tu atención?
- ¿Qué parte en este pasaje te consoló?
- ¿Qué parte en este pasaje te desafió?

Si practicas la lectio divina como familia o en un grupo, luego del tiempo de reflexión, invita a los participantes a compartir sus respuestas.

Oración (*Oratio*)

Lee el pasaje de la Escritura una vez más. Dale al Señor la alabanza, petición y acción de gracias que la Palabra te ha inspirado.

Contemplación (*Contemplatio*)

Lee nuevamente el pasaje de la Escritura, seguida de esta reflexión:

~ ¿Qué conversión de la mente, del corazón y de la vida me pide el Señor?

_____

_____

_____

_____

~ *Aún tengo muchas cosas que decirles.* ¿Sobre qué áreas de la doctrina de la Iglesia debo aprender más? ¿Cómo puedo aprender sobre esas cosas?

_____

_____

_____

_____

~ *El Espíritu . . . les anunciará las cosas que van a suceder.* ¿Qué ansiedades tengo sobre el futuro? ¿Qué obstáculos me impiden ser voz profética?

_____

_____

~ *Por eso he dicho que tomará de lo mío y se lo comunicará a ustedes.*
¿Cómo respeto y me someto a las verdades de la fe de la Iglesia?
¿Cómo comparto esas verdades de la fe con los demás?

_____

_____

_____

_____

~ *Después de unos momentos de reflexión en silencio, todos recen la Oración del Señor y la siguiente:*

Oración final

Cuando contemplo el cielo, obra de tus manos,
la luna y las estrellas, que has creado, me pregunto:
¿Qué es el hombre para que de él te acuerdes,
ese pobre ser humano, para que de él te preocupes?

Sin embargo, lo hiciste un poquito inferior a los ángeles,
lo coronaste de gloria y dignidad;
le diste el mando sobre las obras de tus manos,
y todo lo sometiste bajo sus pies.

Pusiste a su servicio los rebaños y las manadas,
todos los animales salvajes,
las aves del cielo y los peces del mar,
que recorren los caminos de las aguas.

Del Salmo 8

Vivir la Palabra esta semana

¿Cómo puedo convertir mi vida en un don de caridad para los demás?

Investiga sobre los esfuerzos catequéticos de tu parroquia y piensa
en participar como catequista, patrocinador, o estudiante.

19 de junio 2022

Lectio Divina para la Solemnidad del Santísimo Cuerpo y Sangre de Cristo (*Corpus Christi*)

Empecemos nuestra oración:

En el nombre del Padre, y del Hijo, y del Espíritu Santo. Amén.

Señor nuestro Jesucristo,
que en este admirable sacramento
nos dejaste el memorial de tu pasión,
concédenos venerar de tal modo
los sagrados misterios de tu Cuerpo y de tu Sangre,
que experimentemos continuamente en nosotros
el fruto de tu redención.
Tú que vives y reinas con el Padre en la unidad del Espíritu Santo
y eres Dios por los siglos de los siglos.

Oración colecta, Solemnidad del Santísimo Cuerpo y Sangre de Cristo

Lectura (*Lectio*)

Lee la siguiente Escritura dos o tres veces.

Lucas 9, 11-17

En aquel tiempo, Jesús habló del Reino de Dios a la multitud y curó a los enfermos.

Cuando caía la tarde, los doce apóstoles se acercaron a decirle: "Despide a la gente para que vayan a los pueblos y caseríos a buscar alojamiento y comida, porque aquí estamos en un lugar solitario". Él les contestó: "Denles ustedes de comer". Pero ellos le replicaron: "No tenemos más que cinco panes y dos pescados; a no ser que vayamos nosotros mismos a comprar víveres para toda esta gente". Eran como cinco mil varones.

Entonces Jesús dijo a sus discípulos: "Hagan que se sienten en grupos como de cincuenta". Así lo hicieron, y todos se sentaron. Después Jesús tomó en sus manos los cinco panes y los dos pescados, y levantando su mirada al cielo, pronunció sobre ellos una oración de acción de gracias, los partió y los fue dando a los discípulos para que ellos los distribuyeran entre la gente.

Comieron todos y se saciaron, y de lo que sobró se llenaron doce canastos.

Meditación (*Meditatio*)

Después de la lectura, toma unos momentos para reflexionar en silencio acerca de una o más de las siguientes preguntas:

- ¿Cuál palabra o palabras en este pasaje captaron tu atención?
- ¿Qué parte en este pasaje te consoló?
- ¿Qué parte en este pasaje te desafió?

Si practicas la lectio divina como familia o en un grupo, luego del tiempo de reflexión, invita a los participantes a compartir sus respuestas.

Oración (*Oratio*)

Lee el pasaje de la Escritura una vez más. Dale al Señor la alabanza, petición y acción de gracias que la Palabra te ha inspirado.

Contemplación (*Contemplatio*)

Lee nuevamente el pasaje de la Escritura, seguida de esta reflexión:

~ ¿Qué conversión de la mente, del corazón y de la vida me pide el Señor?

_____

_____

_____

_____

~ *Jesús habló del Reino de Dios a la multitud.* ¿Cómo me imagino el reino de Dios? ¿Cómo veo la irrupción del reino de Dios en este mundo?

_____

_____

_____

_____

~ *Aquí estamos en un lugar solitario.* ¿En qué momentos me he sentido solo y abandonado de Dios? ¿Cómo puedo ser más consciente de la presencia de Dios?

_____

_____

_____

_____

~ *Comieron todos y se saciaron, y de lo que sobró se llenaron doce canastos.* ¿De qué modos despilfarro los dones de Dios? ¿Cómo puedo responder con gratitud a la generosidad de Dios?

_____

_____

_____

_____

~ *Después de unos momentos de reflexión en silencio, todos recen la Oración del Señor y la siguiente:*

Oración final

Esto ha dicho el Señor a mi Señor:
"Siéntate a mi derecha;
yo haré de tus contrarios el estrado
donde pongas los pies".

Extenderá el Señor desde Sión
tu cetro poderoso
y tú dominarás al enemigo.

Es tuyo el señorío;
el día en que naciste
en los montes sagrados,
te consagró el Señor antes del alba.

Juró el Señor y no ha de retractarse:
"Tú eres sacerdote para siempre.
como Melquisedec".

Del Salmo 109

Vivir la Palabra esta semana

¿Cómo puedo convertir mi vida en un don de caridad para los demás?

Haz una contribución en dinero o en especies a tu almacén de alimentos parroquial o a un fondo de alimentos local.

24 de junio 2022

Lectio Divina para la Solemnidad del Sagrado Corazón de Jesús

Empecemos nuestra oración:

En el nombre del Padre, y del Hijo, y del Espíritu Santo. Amén.

Concédenos, Dios todopoderoso,
que, gozosos de honrar el Corazón de tu amado Hijo,
al recordar la grandeza de los beneficios de su amor,
merezcamos recibir gracias cada vez más abundantes
de esa fuente celestial.
Por nuestro Señor Jesucristo, tu Hijo,
que vive y reina contigo en la unidad del Espíritu Santo
y es Dios por los siglos de los siglos.

Oración colecta, Solemnidad de Sagrado Corazón de Jesús, primera opción

Lectura (*Lectio*)

Lee la siguiente Escritura dos o tres veces.

Lucas 15, 3-7

En aquel tiempo, Jesús dijo a los fariseos y a los escribas esta parábola: "¿Quién de ustedes, si tiene cien ovejas y se le pierde una, no deja las noventa y nueve en el campo y va en busca de la que se le perdió hasta encontrarla? Y una vez que la encuentra, la carga sobre sus hombros, lleno de alegría, y al llegar a su casa, reúne a los amigos y vecinos y les dice: 'Alégrense conmigo, porque ya encontré la oveja que se me había perdido'.

Yo les aseguro que también en el cielo habrá más alegría por un pecador que se arrepiente, que por noventa y nueve justos, que no necesitan arrepentirse".

Meditación (*Meditatio*)

Después de la lectura, toma unos momentos para reflexionar en silencio acerca de una o más de las siguientes preguntas:

- ¿Cuál palabra o palabras en este pasaje captaron tu atención?
- ¿Qué parte en este pasaje te consoló?
- ¿Qué parte en este pasaje te desafió?

Si practicas la lectio divina como familia o en un grupo, luego del tiempo de reflexión, invita a los participantes a compartir sus respuestas.

Oración (*Oratio*)

Lee el pasaje de la Escritura una vez más. Dale al Señor la alabanza, peti-
ción y acción de gracias que la Palabra te ha inspirado.

Contemplación (*Contemplatio*)

Lee nuevamente el pasaje de la Escritura, seguida de esta reflexión:

~ ¿Qué conversión de la mente, del corazón y de la vida me pide el Señor?

_____

_____

_____

_____

~ *¿Quién de ustedes, si tiene cien ovejas y se le pierde una, no deja las*
  noventa y nueve en el campo y va en busca de la que se le perdió hasta
  encontrarla? ¿Cómo guardo el día del Señor? ¿Cómo puede ser mi fe
  solemne y llena de alegría?

_____

_____

_____

_____

~ *Alégrense conmigo, porque ya encontré la oveja que se me había perdido.* ¿El testimonio de quién me ha ayudado a llegar a conocer a Dios más plenamente? ¿Cómo puedo discernir lo que es verdadero?

_____

_____

_____

_____

~ *En el cielo habrá más alegría por un pecador que se arrepiente, que por noventa y nueve justos, que no necesitan arrepentirse.* ¿Cómo han añadido mis pecados a la carga de Jesús? ¿Cómo puedo llevar mi cruz más pacientemente?

_____

_____

_____

_____

~ *Después de unos momentos de reflexión en silencio, todos recen la Oración del Señor y la siguiente:*

Oración final

El Señor es mi pastor, nada me falta:
en verdes praderas me hace recostar;
y hacia fuentes tranquilas me conduce
para reparar mis fuerzas.

Por ser un Dios fiel a sus promesas,
me guía por el sendero recto;
así, aunque camine por cañadas oscuras,
nada temo, porque tú estás conmigo.
Tu vara y tu cayado me dan seguridad.

Tú mismo me preparas la mesa,
a despecho de mis adversarios;
me unges la cabeza con perfume
y llenas mi copa hasta los bordes.

Tu bondad y tu misericordia me acompañarán
todos los días de mi vida;
y viviré en la casa del Señor
por años sin término.

Del Salmo 22

Vivir la Palabra esta semana

¿Cómo puedo convertir mi vida en un don de caridad para los demás?

Reza un Rosario de sanación y protección (*https://www.usccb. org/issues-and-action/child-and-youth-protection/resources/upload/ Rosary-for-Healing-Spanish-2.pdf*).

26 de junio 2022

Lectio Divina para la XIII Semana del Tiempo Ordinario

Empecemos nuestra oración:

En el nombre del Padre, y del Hijo, y del Espíritu Santo. Amén.

Señor Dios, que mediante la gracia de la adopción filial
quisiste que fuéramos hijos de la luz,
concédenos que no nos dejemos envolver en las tinieblas del error,
sino que permanezcamos siempre vigilantes
en el esplendor de la verdad.
Por nuestro Señor Jesucristo, tu Hijo,
que vive y reina contigo en la unidad

Oración colecta, XIII Domingo del Tiempo ordinario

Lectura (*Lectio*)

Lee la siguiente Escritura dos o tres veces.

Lucas 9, 51-62

Cuando ya se acercaba el tiempo en que tenía que salir de este mundo, Jesús tomó la firme determinación de emprender el viaje a Jerusalén. Envió mensajeros por delante y ellos fueron a una aldea de Samaria para conseguirle alojamiento; pero los samaritanos no quisieron recibirlo, porque supieron que iba a Jerusalén. Ante esta negativa, sus discípulos Santiago y Juan le dijeron: "Señor, ¿quieres que hagamos bajar fuego del cielo para que acabe con ellos?" Pero Jesús se volvió hacia ellos y los reprendió.

Después se fueron a otra aldea. Mientras iban de camino, alguien le dijo a Jesús: "Te seguiré a dondequiera que vayas". Jesús le respondió: "Las zorras tienen madrigueras y los pájaros, nidos; pero el Hijo del hombre no tiene en dónde reclinar la cabeza".

A otro, Jesús le dijo: "Sígueme". Pero él le respondió: "Señor, déjame ir primero a enterrar a mi padre". Jesús le replicó: "Deja que los muertos entierren a sus muertos. Tú ve y anuncia el Reino de Dios".

Otro le dijo: "Te seguiré, Señor; pero déjame primero despedirme de mi familia". Jesús le contestó: "El que empuña el arado y mira hacia atrás, no sirve para el Reino de Dios".

Meditación (*Meditatio*)

Después de la lectura, toma unos momentos para reflexionar en silencio acerca de una o más de las siguientes preguntas:

- ¿Cuál palabra o palabras en este pasaje captaron tu atención?
- ¿Qué parte en este pasaje te consoló?
- ¿Qué parte en este pasaje te desafió?

Si practicas la lectio divina como familia o en un grupo, luego del tiempo de reflexión, invita a los participantes a compartir sus respuestas.

Oración (*Oratio*)

Lee el pasaje de la Escritura una vez más. Dale al Señor la alabanza, petición y acción de gracias que la Palabra te ha inspirado.

Contemplación (*Contemplatio*)

Lee nuevamente el pasaje de la Escritura, seguida de esta reflexión:

~ ¿Qué conversión de la mente, del corazón y de la vida me pide el Señor?

_____

_____

_____

_____

~ *Jesús tomó la firme determinación de emprender el viaje a Jerusalén.* ¿A dónde me pide Dios que vaya? ¿Cuán firme es mi decisión en mi camino de fe?

_____

_____

_____

_____

~ *El Hijo del hombre no tiene en dónde reclinar la cabeza.* ¿Tomo tiempo para descansar y restaurarme? ¿Cómo puedo ser más acogedor y dar la bienvenida a otros?

_____

_____

_____

_____

~ *Tú ve y anuncia el Reino de Dios.* ¿Cómo puedo proclamar el reino de Dios más eficazmente? ¿Cómo puede mi vida reflejar mis creencias más plenamente?

_____

_____

_____

_____

~ *Después de unos momentos de reflexión en silencio, todos recen la Oración del Señor y la siguiente:*

Oración final

Protégeme, Dios mío, pues eres mi refugio.
Yo siempre he dicho que tú eres mi Señor.
El Señor es la parte que me ha tocado en herencia:
mi vida está en sus manos.

Bendeciré al Señor, que me aconseja,
hasta de noche me instruye internamente.
Tengo siempre presente al Señor
y con él a mi lado, jamás tropezaré.

Por eso se me alegran el corazón y el alma
y mi cuerpo vivirá tranquilo,
porque tú no me abandonarás a la muerte
ni dejarás que sufra yo la corrupción.

Enséñame el camino de la vida,
sáciame de gozo en tu presencia
y de alegría perpetua junto a ti.

Del Salmo 15

Vivir la Palabra esta semana

¿Cómo puedo convertir mi vida en un don de caridad para los demás?

Ora por quienes han sido ordenados sacerdotes o diáconos recientemente, quienes han profesado votos religiosos recientemente y quienes están discerniendo su vocación.

29 de junio 2022

Lectio Divina para la Solemnidad de San Pedro y San Pablo

Empecemos nuestra oración:

En el nombre del Padre, y del Hijo, y del Espíritu Santo. Amén.

Concédenos, Señor Dios nuestro, que nos ayude
la intercesión de los santos apóstoles Pedro y Pablo,
por quienes diste a tu Iglesia
las primeras enseñanzas de la misión recibida de lo alto,
para que también por ellos nos des el auxilio de la salvación eterna.
Por nuestro Señor Jesucristo, tu Hijo,
que vive y reina contigo en la unidad del Espíritu Santo
y es Dios por los siglos de los siglos.

Oración colecta, Solemnidad de San Pedro y San Pablo,
Misa vespertina de la vigilia

Lectura (*Lectio*)

Lee la siguiente Escritura dos o tres veces.

Mateo 16, 13-19

En aquel tiempo, cuando llegó Jesús a la región de Cesarea de Filipo, hizo esta pregunta a sus discípulos: "¿Quién dice la gente que es el Hijo del hombre?" Ellos le respondieron: "Unos dicen que eres Juan el Bautista; otros, que Elías; otros, que Jeremías o alguno de los profetas".

Luego les preguntó: "Y ustedes, ¿quién dicen que soy yo?" Simón Pedro tomó la palabra y le dijo: "Tú eres el Mesías, el Hijo de Dios vivo".

Jesús le dijo entonces: "¡Dichoso tú, Simón, hijo de Juan, porque esto no te lo ha revelado ningún hombre, sino mi Padre que está en los cielos! Y yo te digo a ti que tú eres Pedro y sobre esta piedra edificaré mi Iglesia. Los poderes del infierno no prevalecerán sobre ella. Yo te daré las llaves del Reino de los cielos; todo lo que ates en la tierra quedará atado en el cielo, y todo lo que desates en la tierra quedará desatado en el cielo".

Meditación (*Meditatio*)

Después de la lectura, toma unos momentos para reflexionar en silencio acerca de una o más de las siguientes preguntas:

- ¿Cuál palabra o palabras en este pasaje captaron tu atención?
- ¿Qué parte en este pasaje te consoló?
- ¿Qué parte en este pasaje te desafió?

Si practicas la lectio divina como familia o en un grupo, luego del tiempo de reflexión, invita a los participantes a compartir sus respuestas.

Oración (*Oratio*)

Lee el pasaje de la Escritura una vez más. Dale al Señor la alabanza, petición y acción de gracias que la Palabra te ha inspirado.

Contemplación (*Contemplatio*)

Lee nuevamente el pasaje de la Escritura, seguida de esta reflexión:

≈ ¿Qué conversión de la mente, del corazón y de la vida me pide el Señor?

_____

_____

_____

_____

≈ *Tú eres el Mesías, el Hijo de Dios vivo.* ¿Cómo me he encontrado con Cristo esta semana? ¿Cómo dan mis acciones testimonio de mi fe en Cristo?

_____

_____

_____

_____

~ *Porque esto no te lo ha revelado ningún hombre, sino mi Padre que está en los cielos!* ¿Quién me ha ayudado a llegar a conocer a Dios? ¿Cómo se me ha revelado Dios?

_____

_____

_____

_____

~ *Todo lo que ates en la tierra quedará atado en el cielo, y todo lo que desates en la tierra quedará desatado en el cielo.* ¿Qué me ata a conductas pecaminosas? ¿Cómo puedo desatar esas ataduras?

_____

_____

_____

_____

~ *Después de unos momentos de reflexión en silencio, todos recen la Oración del Señor y la siguiente:*

Oración final

Bendeciré al Señor a todas horas,
no cesará mi boca de alabarlo.
Yo me siento orgulloso del Señor,
que se alegre su pueblo al escucharlo.

Proclamemos la grandeza del Señor,
y alabemos todos juntos su poder.
Cuando acudí al Señor, me hizo caso
y me libró de todos mis temores.

Confía en el Señor y saltarás de gusto,
jamás te sentirás decepcionado,
porque el Señor escucha el clamor de los pobres
y los libra de todas sus angustias.

Junto a aquellos que temen al Señor
el ángel del Señor acampa y los protege.
Haz la prueba y verás qué bueno es el Señor.
Dichoso el hombre que se refugia en él.

Del Salmo 33

Vivir la Palabra esta semana

¿Cómo puedo convertir mi vida en un don de caridad para los demás?

Haz un buen examen de conciencia y recibe el Sacramento de
la Penitencia.

3 de julio 2022

Lectio Divina para la XIV Semana del Tiempo Ordinario

Empecemos nuestra oración:

En el nombre del Padre, y del Hijo, y del Espíritu Santo. Amén.

Señor Dios, que por medio de la humillación de tu Hijo
reconstruiste el mundo derrumbado,
concede a tus fieles una santa alegría
para que, a quienes rescataste de la esclavitud del pecado,
nos hagas disfrutar del gozo que no tiene fin.
Por nuestro Señor Jesucristo, tu Hijo,
que vive y reina contigo en la unidad del Espíritu Santo
y es Dios por los siglos de los siglos.

Oración colecta, XIV Domingo del Tiempo ordinario

Lectura (*Lectio*)

Lee la siguiente Escritura dos o tres veces.

Lucas 10, 1-12. 17-20 o 10, 1-9

En aquel tiempo, Jesús designó a otros setenta y dos discípulos y los mandó por delante, de dos en dos, a todos los pueblos y lugares a donde pensaba ir, y les dijo: "La cosecha es mucha y los trabajadores pocos. Rueguen, por lo tanto, al dueño de la mies que envíe trabajadores a sus campos. Pónganse en camino; yo los envío como corderos en medio de lobos. No lleven ni dinero, ni morral, ni sandalias y no se detengan a saludar a nadie por el camino. Cuando entren en una casa digan: 'Que la paz reine en esta casa'. Y si allí hay gente amante de la paz, el deseo de paz de ustedes se cumplirá; si no, no se cumplirá. Quédense en esa casa. Coman y beban de lo que tengan, porque el trabajador tiene derecho a su salario. No anden de casa en casa. En cualquier ciudad donde entren y los reciban, coman lo que les den. Curen a los enfermos que haya y díganles: 'Ya se acerca a ustedes el Reino de Dios'.

Pero si entran en una ciudad y no los reciben, salgan por las calles y digan: 'Hasta el polvo de esta ciudad, que se nos ha pegado a los pies nos lo sacudimos, en señal de protesta contra ustedes. De todos modos, sepan que el Reino de Dios está cerca'. Yo les digo que, en el día del juicio, Sodoma será tratada con menos rigor que esa ciudad".

Los setenta y dos discípulos regresaron llenos de alegría y le dijeron a Jesús: "Señor, hasta los demonios se nos someten en tu nombre".

Él les contestó: "Vi a Satanás caer del cielo como el rayo. A ustedes les he dado poder para aplastar serpientes y escorpiones y para vencer toda la fuerza del enemigo, y nada les podrá hacer daño. Pero no se alegren de que los demonios se les someten. Alégrense más bien de que sus nombres están escritos en el cielo".

Meditación (*Meditatio*)

Después de la lectura, toma unos momentos para reflexionar en silencio acerca de una o más de las siguientes preguntas:

- ¿Cuál palabra o palabras en este pasaje captaron tu atención?
- ¿Qué parte en este pasaje te consoló?
- ¿Qué parte en este pasaje te desafió?

Si practicas la lectio divina como familia o en un grupo, luego del tiempo de reflexión, invita a los participantes a compartir sus respuestas.

Oración (*Oratio*)

Lee el pasaje de la Escritura una vez más. Dale al Señor la alabanza, petición y acción de gracias que la Palabra te ha inspirado.

Contemplación (*Contemplatio*)

Lee nuevamente el pasaje de la Escritura, seguida de esta reflexión:

≈ ¿Qué conversión de la mente, del corazón y de la vida me pide el Señor?

~ *Yo los envío como corderos en medio de lobos.* ¿En qué momentos he sentido que mi fe ha sido desafiada? ¿A qué "lobos" debo esquivar?

_____

_____

_____

_____

~ *No lleven ni dinero, ni morral, ni sandalias.* ¿En qué momentos he puesto más fe en mis posesiones que en Dios? ¿Cómo puedo aumentar mi desapego de los bienes mundanos?

_____

_____

_____

_____

~ *A ustedes les he dado poder para aplastar serpientes y escorpiones y para vencer toda la fuerza del enemigo, y nada les podrá hacer daño.* ¿Qué prácticas espirituales pueden fortalecer mi capacidad de evitar el mal? ¿Cómo puedo ser una fuerza para el bien en el mundo?

_____

_____

_____

_____

~ *Después de unos momentos de reflexión en silencio, todos recen la Oración del Señor y la siguiente:*

Oración final

Que aclame al Señor toda la tierra;
celebremos su gloria y su poder,
cantemos un himno de alabanza,
digamos al Señor: "Tu obra es admirable".

Que se postre ante ti la tierra entera
y celebre con cánticos tu nombre.
Admiremos las obras del Señor,
los prodigios que ha hecho por los hombres.

Él transformó el mar Rojo en tierra firme
y los hizo cruzar el Jordán a pie enjuto.
Llenémonos por eso de gozo y gratitud:
El Señor es eterno y poderoso.

Cuantos temen a Dios vengan y escuchen,
y les diré lo que ha hecho por mí.
Bendito sea Dios que no rechazó mi súplica,
ni me retiró su gracia.

Del Salmo 65

Vivir la Palabra esta semana

¿Cómo puedo convertir mi vida en un don de caridad para los demás?

Piensa en contribuir tu tiempo, tesoro o talento a una agencia local de ayuda a los pobres, como la Sociedad de San Vicente de Paúl o Caridades Católicas.

10 de julio 2022

Lectio Divina para la XV Semana del Tiempo Ordinario

Empecemos nuestra oración:

En el nombre del Padre, y del Hijo, y del Espíritu Santo. Amén.

Señor Dios, que muestras la luz de tu verdad
a los que andan extraviados
para que puedan volver al buen camino,
concede a cuantos se profesan como cristianos
rechazar lo que sea contrario al nombre que llevan
y cumplir lo que ese nombre significa.
Por nuestro Señor Jesucristo, tu Hijo,
que vive y reina contigo en la unidad del Espíritu Santo
y es Dios por los siglos de los siglos.

Oración colecta, XV Domingo del Tiempo ordinario

Lectura (*Lectio*)

Lee la siguiente Escritura dos o tres veces.

Lucas 10, 25-37

En aquel tiempo, se presentó ante Jesús un doctor de la ley para ponerlo a prueba y le preguntó: "Maestro, ¿qué debo hacer para conseguir la vida eterna?" Jesús le dijo: "¿Qué es lo que está escrito en la ley? ¿Qué lees en ella?" El doctor de la ley contestó: *"Amarás al Señor tu Dios, con todo tu corazón, con toda tu alma, con todas tus fuerzas* y con todo tu ser, *y a tu prójimo como a ti mismo"*. Jesús le dijo: "Has contestado bien; si haces eso, vivirás".

El doctor de la ley, para justificarse, le preguntó a Jesús: "¿Y quién es mi prójimo?" Jesús le dijo: "Un hombre que bajaba por el camino de Jerusalén a Jericó, cayó en manos de unos ladrones, los cuales le robaron, lo hirieron y lo dejaron medio muerto. Sucedió que por el mismo camino bajaba un sacerdote, el cual lo vio y pasó de largo. De igual modo, un levita que pasó por ahí, lo vio y siguió adelante. Pero un samaritano que iba de viaje, al verlo, se compadeció de él, se le acercó, ungió sus heridas con aceite y vino y se las vendó; luego lo puso sobre su cabalgadura, lo llevó a un mesón y cuidó de él. Al día siguiente sacó dos denarios, se los dio al dueño del mesón y le dijo: 'Cuida de él y lo que gastes de más, te lo pagaré a mi regreso'.

¿Cuál de estos tres te parece que se portó como prójimo del hombre que fue asaltado por los ladrones?" El doctor de la ley le respondió: "El que tuvo compasión de él". Entonces Jesús le dijo: "Anda y haz tú lo mismo".

Meditación (*Meditatio*)

Después de la lectura, toma unos momentos para reflexionar en silencio acerca de una o más de las siguientes preguntas:

- ¿Cuál palabra o palabras en este pasaje captaron tu atención?
- ¿Qué parte en este pasaje te consoló?
- ¿Qué parte en este pasaje te desafió?

Si practicas la lectio divina como familia o en un grupo, luego del tiempo de reflexión, invita a los participantes a compartir sus respuestas.

Oración (*Oratio*)

Lee el pasaje de la Escritura una vez más. Dale al Señor la alabanza, petición y acción de gracias que la Palabra te ha inspirado.

Contemplación (*Contemplatio*)

Lee nuevamente el pasaje de la Escritura, seguida de esta reflexión:

~ ¿Qué conversión de la mente, del corazón y de la vida me pide el Señor?

_____

_____

_____

_____

~ *Un doctor de la ley para ponerlo a prueba y le preguntó.* ¿En qué momentos he intentado poner a Dios a prueba? ¿Cómo puedo aprender a confiar más en la providencia amorosa de Dios?

_____

_____

_____

_____

~ *Un hombre que bajaba por el camino de Jerusalén a Jericó, cayó en manos de unos ladrones.* ¿En qué momentos he sido herido o lastimado por otros? ¿Quién ha venido en mi ayuda?

_____

_____

_____

_____

~ *El cual lo vio y pasó de largo .*¿En qué momentos he dejado de ayudar a alguien necesitado? ¿Cómo puedo estar más atento a los demás?

_____

_____

_____

_____

~ *Después de unos momentos de reflexión en silencio, todos recen la Oración del Señor y la siguiente:*

Oración final

A ti, Señor, elevo mi plegaria,
ven en mi ayuda pronto;
escúchame conforme a tu clemencia,
Dios fiel en el socorro.
Escúchame, Señor, pues eres bueno
y en tu ternura vuelve a mí tus ojos.

Mírame enfermo y afligido;
defiéndeme y ayúdame, Dios mío.
En mi cantar exaltaré tu nombre,
proclamaré tu gloria, agradecido.

Se alegrarán al verlo los que sufren;
quienes buscan a Dios tendrán más ánimo,
porque el Señor jamás desoye al pobre
ni olvida al que se encuentra encadenado.

Ciertamente el Señor salvará a Sión,
reconstruirá a Judá;
la heredarán los hijos de sus siervos,
quienes aman a Dios la habitarán.

Del Salmo 68

Vivir la Palabra esta semana

¿Cómo puedo convertir mi vida en un don de caridad para los demás?

Lee la reflexión sobre la Parábola del Buen Samaritano en la encíclica del papa Francisco *Fratelli tutti* (párrafos 56-86): *www.vatican.va/content/francesco/es/encyclicals/documents/ papa-francesco_20201003_enciclica-fratelli-tutti.html.*

17 de julio 2022

Lectio Divina para la XVI Semana del Tiempo Ordinario

Empecemos nuestra oración:

En el nombre del Padre, y del Hijo, y del Espíritu Santo. Amén.

Sé propicio, Señor, con tus siervos
y multiplica, bondadoso, sobre ellos los dones de tu gracia,
para que, fervorosos en la fe, la esperanza y la caridad,
perseveren siempre fieles en el cumplimiento de tus mandatos.
Por nuestro Señor Jesucristo, tu Hijo,
que vive y reina contigo en la unidad del Espíritu Santo
y es Dios por los siglos de los siglos.

Oración colecta, XVI Domingo del Tiempo ordinario

Lectura (*Lectio*)

Lee la siguiente Escritura dos o tres veces.

Lucas 10, 38-42

En aquel tiempo, entró Jesús en un poblado, y una mujer, llamada Marta, lo recibió en su casa. Ella tenía una hermana, llamada María, la cual se sentó a los pies de Jesús y se puso a escuchar su palabra. Marta, entre tanto, se afanaba en diversos quehaceres, hasta que, acercándose a Jesús, le dijo: "Señor, ¿no te has dado cuenta de que mi hermana me ha dejado sola con todo el quehacer? Dile que me ayude".

El Señor le respondió: "Marta, Marta, muchas cosas te preocupan y te inquietan, siendo así que una sola es necesaria. María escogió la mejor parte y nadie se la quitará".

Meditación (*Meditatio*)

Después de la lectura, toma unos momentos para reflexionar en silencio acerca de una o más de las siguientes preguntas:

- ¿Cuál palabra o palabras en este pasaje captaron tu atención?
- ¿Qué parte en este pasaje te consoló?
- ¿Qué parte en este pasaje te desafió?

Si practicas la lectio divina como familia o en un grupo, luego del tiempo de reflexión, invita a los participantes a compartir sus respuestas.

Oración (*Oratio*)

Lee el pasaje de la Escritura una vez más. Dale al Señor la alabanza, petición y acción de gracias que la Palabra te ha inspirado.

Contemplación (*Contemplatio*)

Lee nuevamente el pasaje de la Escritura, seguida de esta reflexión:

~ ¿Qué conversión de la mente, del corazón y de la vida me pide el Señor?

_____

_____

_____

_____

~ *María, la cual se sentó a los pies de Jesús y se puso a escuchar su palabra.* ¿Dónde siento la presencia de Dios más profundamente? ¿Cómo puedo cultivar en mí un corazón que escucha?

_____

_____

_____

_____

≈ *Marta . . . se afanaba en diversos quehaceres.* ¿Qué preocupaciones me están abrumando en este momento? ¿Cómo puedo ayudar a otros a llevar sus cargas?

_____

_____

_____

_____

≈ *María escogió la mejor parte y nadie se la quitará.* ¿Cuál es la mejor parte que estoy buscando? ¿Cómo puedo priorizar esa mejor parte en mi vida?

_____

_____

_____

_____

≈ *Después de unos momentos de reflexión en silencio, todos recen la Oración del Señor y la siguiente:*

Oración final

El hombre que procede honradamente
y obra con justicia;
el que es sincero en sus palabras
y con su lengua a nadie desprestigia.

Quien no hace mal al prójimo
ni difama al vecino;
quien no ve con aprecio a los malvados
pero honra a quienes temen al Altísimo.

Quien presta sin usura
y quien no acepta soborno en perjuicio de inocentes.
Quienes vivan así
serán gratos a Dios eternamente.

Del Salmo 14

Vivir la Palabra esta semana

¿Cómo puedo convertir mi vida en un don de caridad para los demás?

En oración, piensa en participar en los ministerios de servicio de tu parroquia.

24 de julio 2022

Lectio Divina para la XVII Semana del Tiempo Ordinario

Empecemos nuestra oración:

En el nombre del Padre, y del Hijo, y del Espíritu Santo. Amén.

Señor Dios, protector de los que en ti confían,
sin ti, nada es fuerte, ni santo;
multiplica sobre nosotros tu misericordia
para que, bajo tu dirección,
de tal modo nos sirvamos ahora de los bienes pasajeros,
que nuestro corazón esté puesto en los bienes eternos.
Por nuestro Señor Jesucristo, tu Hijo,
que vive y reina contigo en la unidad del Espíritu Santo
y es Dios por los siglos de los siglos.

Oración colecta, XVII Domingo del Tiempo ordinario

Lectura (*Lectio*)

Lee la siguiente Escritura dos o tres veces.

Lucas 11, 1-13

Un día, Jesús estaba orando y cuando terminó, uno de sus discípulos le dijo: "Señor, enséñanos a orar, como Juan enseñó a sus discípulos".

Entonces Jesús les dijo: "Cuando oren, digan:

'Padre, santificado sea tu nombre,
venga tu Reino,
danos hoy nuestro pan de cada día
y perdona nuestras ofensas,
puesto que también nosotros perdonamos
a todo aquel que nos ofende,
y no nos dejes caer en tentación'".

También les dijo: "Supongan que alguno de ustedes tiene un amigo que viene a medianoche a decirle: 'Préstame, por favor, tres panes, pues un amigo mío ha venido de viaje y no tengo nada que ofrecerle'. Pero él le responde desde dentro: 'No me molestes. No puedo levantarme a dártelos, porque la puerta ya está cerrada y mis hijos y yo estamos acostados'. Si el otro sigue tocando, yo les aseguro que, aunque no se levante a dárselos por ser su amigo, sin embargo, por su molesta insistencia, sí se levantará y le dará cuanto necesite.

Así también les digo a ustedes: Pidan y se les dará, busquen y encontrarán, toquen y se les abrirá. Porque quien pide, recibe; quien busca, encuentra, y al que toca, se le abre. ¿Habrá entre ustedes algún padre que, cuando su hijo le pida pan, le dé una piedra? ¿O cuando le pida pescado, le dé una víbora? ¿O cuando le pida huevo, le dé un alacrán? Pues, si ustedes, que son malos, saben dar cosas buenas a sus hijos, ¿cuánto más el Padre celestial dará el Espíritu Santo a quienes se lo pidan?"

Meditación (*Meditatio*)

Después de la lectura, toma unos momentos para reflexionar en silencio acerca de una o más de las siguientes preguntas:

- ¿Cuál palabra o palabras en este pasaje captaron tu atención?
- ¿Qué parte en este pasaje te consoló?
- ¿Qué parte en este pasaje te desafió?

Si practicas la lectio divina como familia o en un grupo, luego del tiempo de reflexión, invita a los participantes a compartir sus respuestas.

Oración (*Oratio*)

Lee el pasaje de la Escritura una vez más. Dale al Señor la alabanza, petición y acción de gracias que la Palabra te ha inspirado.

Contemplación (*Contemplatio*)

Lee nuevamente el pasaje de la Escritura, seguida de esta reflexión:

∼ ¿Qué conversión de la mente, del corazón y de la vida me pide el Señor?

_____

_____

_____

_____

∼ *Padre, santificado sea tu nombre.* ¿Cómo maestro reverencia por el nombre de Dios? ¿De qué modos debo modificar mis palabras para ser más amable y más reverente?

_____

_____

_____

_____

∼ *No puedo levantarme a dártelos.* ¿En qué momentos me he resistido a oportunidades de ser generoso? ¿Cómo puedo hacerme más atento a quienes tienen necesidad?

_____

_____

_____

_____

≈ *Pidan y se les dará, busquen y encontrarán, toquen y se les abrirá.* ¿Qué busco? ¿Qué necesito pedirle a Dios?

_____

_____

_____

_____

≈ *Después de unos momentos de reflexión en silencio, todos recen la Oración del Señor y la siguiente:*

Oración final

De todo corazón te damos gracias,
Señor, porque escuchaste nuestros ruegos.
Te cantaremos delante de tus ángeles,
te adoraremos en tu templo.

Señor, te damos gracias
por tu lealtad y por tu amor:
Siempre que te invocamos, nos oíste
y nos llenaste de valor.

Se complace el Señor en los humildes
y rechaza al engreído.
En las penas, Señor, me infundes ánimo,
me salvas del furor del enemigo.

Tu mano, Señor, nos pondrá a salvo
y así concluirás en nosotros tu obra.
Señor, tu amor perdura eternamente;
obra tuya soy, no me abandones.

Del Salmo 137

Vivir la Palabra esta semana

¿Cómo puedo convertir mi vida en un don de caridad para los demás?

Lee sobre la Oración del Señor en el *Catecismo de los Estados Unidos para Adultos*: *www.usccb.org/sites/default/files/flipbooks/uscca-spanish/files/assets/basic-html/page-541.html.*

31 de julio 2022

Lectio Divina para la XVIII Semana del Tiempo Ordinario

Empecemos nuestra oración:

En el nombre del Padre, y del Hijo, y del Espíritu Santo. Amén.

Ayuda, Señor, a tus siervos,
que imploran tu continua benevolencia,
y ya que se glorían de tenerte como su creador y su guía,
renueva en ellos tu obra creadora
y consérvales los dones de tu redención.
Por nuestro Señor Jesucristo, tu Hijo,
que vive y reina contigo en la unidad del Espíritu Santo
y es Dios por los siglos de los siglos.

Oración colecta, XVIII Domingo del Tiempo ordinario

Lectura (*Lectio*)

Lee la siguiente Escritura dos o tres veces.

Lucas 12, 13-21

En aquel tiempo, hallándose Jesús en medio de una multitud, un hombre le dijo: "Maestro, dile a mi hermano que comparta conmigo la herencia". Pero Jesús le contestó: "Amigo, ¿quién me ha puesto como juez en la distribución de herencias?"

Y dirigiéndose a la multitud, dijo: "Eviten toda clase de avaricia, porque la vida del hombre no depende de la abundancia de los bienes que posea".

Después les propuso esta parábola: "Un hombre rico obtuvo una gran cosecha y se puso a pensar: '¿Qué haré, porque no tengo ya en dónde almacenar la cosecha? Ya sé lo que voy a hacer: derribaré mis graneros y construiré otros más grandes para guardar ahí mi cosecha y todo lo que tengo. Entonces podré decirme: Ya tienes bienes acumulados para muchos años; descansa, come, bebe y date a la buena vida'. Pero Dios le dijo: '¡Insensato! Esta misma noche vas a morir. ¿Para quién serán todos tus bienes?' Lo mismo le pasa al que amontona riquezas para sí mismo y no se hace rico de lo que vale ante Dios".

Meditación (*Meditatio*)

Después de la lectura, toma unos momentos para reflexionar en silencio acerca de una o más de las siguientes preguntas:

- ¿Cuál palabra o palabras en este pasaje captaron tu atención?
- ¿Qué parte en este pasaje te consoló?
- ¿Qué parte en este pasaje te desafió?

Si practicas la lectio divina como familia o en un grupo, luego del tiempo de reflexión, invita a los participantes a compartir sus respuestas.

Oración (*Oratio*)

Lee el pasaje de la Escritura una vez más. Dale al Señor la alabanza, petición y acción de gracias que la Palabra te ha inspirado.

Contemplación (*Contemplatio*)

Lee nuevamente el pasaje de la Escritura, seguida de esta reflexión:

∼ ¿Qué conversión de la mente, del corazón y de la vida me pide el Señor?

_____

_____

_____

_____

~ *Maestro, dile a mi hermano que comparta conmigo la herencia.* ¿En qué momentos he puesto cargas sobre mis hermanos y hermanas? ¿Cómo puedo ofrecer compensación con espíritu de amor y apoyo?

_____

_____

_____

_____

~ *Maestro, dile a mi hermano que comparta conmigo la herencia.* ¿Qué me tienta a adquirir más de lo que necesito? ¿Cómo puedo crecer en desapego de mis posesiones?

_____

_____

_____

_____

~ *Esta misma noche vas a morir.* Si hoy fuera el último día de mi vida, ¿lo viviría de manera distinta? ¿Cómo me preparo para encontrarme con Jesús al final de mi vida?

_____

_____

_____

_____

~ *Después de unos momentos de reflexión en silencio, todos recen la Oración del Señor y la siguiente:*

Oración final

Tú haces volver al polvo a los humanos,
diciendo a los mortales que retornen.
Mil años son para ti como un día,
que ya pasó; como una breve noche.

Nuestra vida es tan breve como un sueño;
semejante a la hierba,
que despunta y florece en la mañana,
y por la tarde se marchita y se seca.

Enséñanos a ver lo que es la vida
y seremos sensatos.
¿Hasta cuándo, Señor, vas a tener
compasión de tus siervos? ¿Hasta cuándo?

Llénanos de tu amor por la mañana
y júbilo será la vida toda.
Que el Señor bondadoso nos ayude
y dé prosperidad a nuestras obras.

Del Salmo 89

Vivir la Palabra esta semana

¿Cómo puedo convertir mi vida en un don de caridad para los demás?

Dona posesiones que no usas o dinero a una agencia que asiste a personas desamparadas, refugiados, o anteriormente encarcelados.

7 de agosto 2022

Lectio Divina para la XIX Semana del Tiempo Ordinario

Empecemos nuestra oración:

En el nombre del Padre, y del Hijo, y del Espíritu Santo. Amén.

Dios todopoderoso y eterno,
a quien, enseñados por el Espíritu Santo,
invocamos con el nombre de Padre,
intensifica en nuestros corazones
el espíritu de hijos adoptivos tuyos,
para que merezcamos entrar en posesión
de la herencia que nos tienes prometida.
Por nuestro Señor Jesucristo, tu Hijo,
que vive y reina contigo en la unidad del Espíritu Santo
y es Dios por los siglos de los siglos.

Oración colecta, XIX Domingo del Tiempo ordinario

Lectura (*Lectio*)

Lee la siguiente Escritura dos o tres veces.

Lucas 12, 32-48 o 12, 35-40

En aquel tiempo, Jesús dijo a sus discípulos: "No temas, rebañito mío, porque tu Padre ha tenido a bien darte el Reino. Vendan sus bienes y den limosnas. Consíganse unas bolsas que no se destruyan y acumulen en el cielo un tesoro que no se acaba, allá donde no llega el ladrón, ni carcome la polilla. Porque donde está su tesoro, ahí estará su corazón.

Estén listos, con la túnica puesta y las lámparas encendidas. Sean semejantes a los criados que están esperando a que su señor regrese de la boda, para abrirle en cuanto llegue y toque. Dichosos aquellos a quienes su señor, al llegar, encuentre en vela. Yo les aseguro que se recogerá la túnica, los hará sentar a la mesa y él mismo les servirá. Y si llega a medianoche o a la madrugada y los encuentra en vela, dichosos ellos.

Fíjense en esto: Si un padre de familia supiera a qué hora va a venir el ladrón, estaría vigilando y no dejaría que se le metiera por un boquete en su casa. Pues también ustedes estén preparados, porque a la hora en que menos lo piensen vendrá el Hijo del hombre".

Entonces Pedro le preguntó a Jesús: "¿Dices esta parábola sólo por nosotros o por todos?" El Señor le respondió: "Supongan que un administrador, puesto por su amo al frente de la servidumbre, con el encargo de repartirles a su tiempo los alimentos, se porta con fidelidad y prudencia. Dichoso este siervo, si el amo, a su llegada, lo encuentra cumpliendo con su deber. Yo les aseguro que lo pondrá al frente de todo lo que tiene. Pero si este siervo piensa: 'Mi amo tardará en llegar' y empieza a maltratar a los criados y a las criadas, a comer, a beber y a embriagarse, el día menos pensado y a la hora más inesperada, llegará su amo y lo castigará severamente y le hará correr la misma suerte que a los hombres desleales.

El servidor que, conociendo la voluntad de su amo, no haya preparado ni hecho lo que debía, recibirá muchos azotes; pero el que, sin conocerla, haya hecho algo digno de castigo, recibirá pocos.

Al que mucho se le da, se le exigirá mucho, y al que mucho se le confía, se le exigirá mucho más".

Meditación (*Meditatio*)

Después de la lectura, toma unos momentos para reflexionar en silencio acerca de una o más de las siguientes preguntas:

- ¿Cuál palabra o palabras en este pasaje captaron tu atención?
- ¿Qué parte en este pasaje te consoló?
- ¿Qué parte en este pasaje te desafió?

Si practicas la lectio divina como familia o en un grupo, luego del tiempo de reflexión, invita a los participantes a compartir sus respuestas.

Oración (*Oratio*)

Lee el pasaje de la Escritura una vez más. Dale al Señor la alabanza, petición y acción de gracias que la Palabra te ha inspirado.

Contemplación (*Contemplatio*)

Lee nuevamente el pasaje de la Escritura, seguida de esta reflexión:

~ ¿Qué conversión de la mente, del corazón y de la vida me pide el Señor?

_____

_____

_____

_____

~ *Porque donde está su tesoro, ahí estará su corazón.* ¿Qué aprecio más en la vida? ¿Cómo doy testimonio de ese valor?

_____

_____

_____

_____

~ *Estén listos, con la túnica puesta y las lámparas encendidas.* ¿Cómo me estoy preparando para el retorno de Jesús? ¿Qué pasos puedo dar esta semana para vivir una vida más llena de fe?

_____

_____

_____

_____

~ *Dichosos aquellos a quienes su señor, al llegar, encuentre en vela.* ¿Cómo busco oportunidades de servir? ¿Cómo puedo ser más diligente en la oración?

_____

_____

_____

_____

~ *Después de unos momentos de reflexión en silencio, todos recen la Oración del Señor y la siguiente:*

Oración final

Que los justos aclamen al Señor,
es propio de los justos alabarlo.
Feliz la nación cuyo Dios es el Señor,
dichoso el pueblo que eligió por suyo.

Cuida el Señor de aquellos que lo temen
y en su bondad confían;
los salva de la muerte
y en épocas de hambre les da vida.

En el Señor está nuestra esperanza,
pues él nuestra ayuda y nuestro amparo.
Muéstrate bondadoso con nosotros,
puesto que en ti, Señor, hemos confiado.

Del Salmo 32

Vivir la Palabra esta semana

¿Cómo puedo convertir mi vida en un don de caridad para los demás?

Al orar y asistir a Misa esta semana, pon un esfuerzo especial en estar atento y ofrecer una participación plena, consciente y activa.

14 de agosto 2022

Lectio Divina para la XX Semana del Tiempo Ordinario

Empecemos nuestra oración:

En el nombre del Padre, y del Hijo, y del Espíritu Santo. Amén.

Señor Dios, que has preparado bienes invisibles
para los que te aman,
infunde en nuestros corazones el anhelo de amarte,
para que, amándote en todo y sobre todo,
consigamos tus promesas, que superan todo deseo.
Por nuestro Señor Jesucristo, tu Hijo,
que vive y reina contigo en la unidad del Espíritu Santo
y es Dios por los siglos de los siglos.

Oración colecta, XX Domingo del Tiempo ordinario

Lectura (*Lectio*)

Lee la siguiente Escritura dos o tres veces.

Lucas 12, 49-53

En aquel tiempo, Jesús dijo a sus discípulos: "He venido a traer fuego a la tierra, ¡y cuánto desearía que ya estuviera ardiendo! Tengo que recibir un bautismo, ¡y cómo me angustio mientras llega!

¿Piensan acaso que he venido a traer paz a la tierra? De ningún modo. No he venido a traer la paz, sino la división. De aquí en adelante, de cinco que haya en una familia, estarán divididos tres contra dos y dos contra tres. Estará dividido el padre contra el hijo, el hijo contra el padre, la madre contra la hija y la hija contra la madre, la suegra contra la nuera y la nuera contra la suegra".

Meditación (*Meditatio*)

Después de la lectura, toma unos momentos para reflexionar en silencio acerca de una o más de las siguientes preguntas:

- ¿Cuál palabra o palabras en este pasaje captaron tu atención?
- ¿Qué parte en este pasaje te consoló?
- ¿Qué parte en este pasaje te desafió?

Si practicas la lectio divina como familia o en un grupo, luego del tiempo de reflexión, invita a los participantes a compartir sus respuestas.

Oración (*Oratio*)

Lee el pasaje de la Escritura una vez más. Dale al Señor la alabanza, petición y acción de gracias que la Palabra te ha inspirado.

Contemplación (*Contemplatio*)

Lee nuevamente el pasaje de la Escritura, seguida de esta reflexión:

∿ ¿Qué conversión de la mente, del corazón y de la vida me pide el Señor?

_____

_____

_____

_____

∿ *¡Y cuánto desearía que ya estuviera ardiendo!* ¿Quién, en mi vida, tiene el fuego de la fe? ¿Qué me inspira a crecer en mi vida spiritual?

_____

_____

_____

_____

~ *¡Y cómo me angustio mientras llega!* ¿Qué me está causando en la vida dolor y sufrimiento emocional? ¿Qué cosas he dejado sin hacer?

_____

_____

_____

_____

~ *De aquí en adelante, de cinco que haya en una familia, estarán.* ¿En qué momentos ha sufrido la división mi familia u otra comunidad? ¿Con quién debo reconciliarme?

_____

_____

_____

_____

~ *Después de unos momentos de reflexión en silencio, todos recen la Oración del Señor y la siguiente:*

Oración final

Esperé en el Señor con gran confianza;
él se inclinó hacia mí
y escuchó mis plegarias.

Del charco cenagoso
y la fosa mortal me puso a salvo;
puso firmes mis pies sobre la roca
y aseguró mis pasos.

Él me puso en la boca un canto nuevo,
un himno a nuestro Dios.
Muchos se conmovieron al ver esto
y confiaron también en el Señor.

A mí, tu siervo, pobre y desdichado,
no me dejes, Señor, en el olvido.
Tú eres quien me ayuda y quien me salva;
no te tardes, Dios mío.

Del Salmo 39

Vivir la Palabra esta semana

¿Cómo puedo convertir mi vida en un don de caridad para los demás?

Busca la reconciliación con un amigo o miembro de la familia.

21 de agosto 2022

Lectio Divina para la XXI Semana del Tiempo Ordinario

Empecemos nuestra oración:

En el nombre del Padre, y del Hijo, y del Espíritu Santo. Amén.

Señor Dios, que unes en un mismo sentir
los corazones de tus fieles,
impulsa a tu pueblo a amar lo que mandas
y a desear lo que prometes,
para que, en medio de la inestabilidad del mundo,
estén firmemente anclados nuestros corazones
donde se halla la verdadera felicidad.
Por nuestro Señor Jesucristo, tu Hijo,
que vive y reina contigo en la unidad del Espíritu Santo
y es Dios por los siglos de los siglos.

Oración colecta, XXI Domingo del Tiempo ordinario

Lectura (*Lectio*)

Lee la siguiente Escritura dos o tres veces.

Lc 13, 22-30

En aquel tiempo, Jesús iba enseñando por ciudades y pueblos, mientras se encaminaba a Jerusalén. Alguien le preguntó: "Señor, ¿es verdad que son pocos los que se salvan?"

Jesús le respondió: "Esfuércense en entrar por la puerta, que es angosta, pues yo les aseguro que muchos tratarán de entrar y no podrán. Cuando el dueño de la casa se levante de la mesa y cierre la puerta, ustedes se quedarán afuera y se pondrán a tocar la puerta, diciendo: '¡Señor, ábrenos!' Pero él les responderá: 'No sé quiénes son ustedes'.

Entonces le dirán con insistencia: 'Hemos comido y bebido contigo y tú has enseñado en nuestras plazas'. Pero él replicará: 'Yo les aseguro que no sé quiénes son ustedes. Apártense de mí todos ustedes los que hacen el mal'. Entonces llorarán ustedes y se desesperarán, cuando vean a Abraham, a Isaac, a Jacob y a todos los profetas en el Reino de Dios, y ustedes se vean echados fuera.

Vendrán muchos del oriente y del poniente, del norte y del sur, y participarán en el banquete del Reino de Dios. Pues los que ahora son los últimos, serán los primeros; y los que ahora son los primeros, serán los últimos".

Meditación (*Meditatio*)

Después de la lectura, toma unos momentos para reflexionar en silencio acerca de una o más de las siguientes preguntas:

- ¿Cuál palabra o palabras en este pasaje captaron tu atención?
- ¿Qué parte en este pasaje te consoló?
- ¿Qué parte en este pasaje te desafió?

Si practicas la lectio divina como familia o en un grupo, luego del tiempo de reflexión, invita a los participantes a compartir sus respuestas.

Oración (*Oratio*)

Lee el pasaje de la Escritura una vez más. Dale al Señor la alabanza, petición y acción de gracias que la Palabra te ha inspirado.

Contemplación (*Contemplatio*)

Lee nuevamente el pasaje de la Escritura, seguida de esta reflexión:

≈ ¿Qué conversión de la mente, del corazón y de la vida me pide el Señor?

_____

_____

_____

_____

~ *Hemos comido y bebido contigo y tú has enseñado en nuestras.* ¿Cómo puedo aprender más sobre mi fe? ¿Dónde siento la presencia de Dios más profundamente?

_____

_____

_____

_____

~ *Yo les aseguro que no sé quiénes son ustedes.* ¿Cómo reconozco la imagen de Dios en aquellos con quienes me encuentro? ¿Cómo dan mis acciones testimonio de mi fe en Dios?

_____

_____

_____

_____

~ *Vendrán muchos del oriente y del poniente, del norte y del sur, y participarán en el banquete del Reino de Dios.* ¿Cómo puedo ser más acogedor con aquellos con quienes me encuentro? ¿Qué prejuicios debo eliminar de mi vida?

_____

_____

≈ Después de unos momentos de reflexión en silencio, todos recen la Oración del Señor y la siguiente:

Oración final

Que alaben al Señor todas las naciones,
que lo aclamen todos los pueblos.

Porque grande es su amor hacia nosotros
y su fidelidad dura por siempre.

Del Salmo 116

Vivir la Palabra esta semana

¿Cómo puedo convertir mi vida en un don de caridad para los demás?

Lee la declaración pastoral de los obispos de Estados Unidos, *Abramos nuestros corazones: El incesante llamado al amor: https://www .usccb.org/issues-and-action/human-life-and-dignity/racism/upload/open -wide-our-hearts-spanish.pdf.*

28 de agosto 2022

Lectio Divina para la XXII Semana del Tiempo Ordinario

Empecemos nuestra oración:

En el nombre del Padre, y del Hijo, y del Espíritu Santo. Amén.

Dios de toda virtud,
de quien procede todo lo que es bueno,
infunde en nuestros corazones el amor de tu nombre,
y concede que, haciendo más religiosa nuestra vida,
hagas crecer el bien que hay en nosotros
y lo conserves con solicitud amorosa.
Por nuestro Señor Jesucristo, tu Hijo,
que vive y reina contigo en la unidad del Espíritu Santo
y es Dios por los siglos de los siglos.

Oración colecta, XXII Domingo del Tiempo ordinario

Lectura (*Lectio*)

Lee la siguiente Escritura dos o tres veces.

Lucas 14, 1. 7-14

Un sábado, Jesús fue a comer en casa de uno de los jefes de los fariseos, y éstos estaban espiándolo. Mirando cómo los convidados escogían los primeros lugares, les dijo esta parábola:

"Cuando te inviten a un banquete de bodas, no te sientes en el lugar principal, no sea que haya algún otro invitado más importante que tú, y el que los invitó a los dos venga a decirte: 'Déjale el lugar a éste', y tengas que ir a ocupar, lleno de vergüenza, el último asiento. Por el contrario, cuando te inviten, ocupa el último lugar, para que, cuando venga el que te invitó, te diga: 'Amigo, acércate a la cabecera'. Entonces te verás honrado en presencia de todos los convidados. Porque el que se engrandece a sí mismo, será humillado; y el que se humilla, será engrandecido".

Luego dijo al que lo había invitado: "Cuando des una comida o una cena, no invites a tus amigos, ni a tus hermanos, ni a tus parientes, ni a los vecinos ricos; porque puede ser que ellos te inviten a su vez, y con eso quedarías recompensado. Al contrario, cuando des un banquete, invita a los pobres, a los lisiados, a los cojos y a los ciegos; y así serás dichoso, porque ellos no tienen con qué pagarte; pero ya se te pagará, cuando resuciten los justos".

Meditación (*Meditatio*)

Después de la lectura, toma unos momentos para reflexionar en silencio acerca de una o más de las siguientes preguntas:

- ¿Cuál palabra o palabras en este pasaje captaron tu atención?
- ¿Qué parte en este pasaje te consoló?
- ¿Qué parte en este pasaje te desafió?

Si practicas la lectio divina como familia o en un grupo, luego del tiempo de reflexión, invita a los participantes a compartir sus respuestas.

Oración (*Oratio*)

Lee el pasaje de la Escritura una vez más. Dale al Señor la alabanza, petición y acción de gracias que la Palabra te ha inspirado.

Contemplación (*Contemplatio*)

Lee nuevamente el pasaje de la Escritura, seguida de esta reflexión:

≈ ¿Qué conversión de la mente, del corazón y de la vida me pide el Señor?

_____

_____

_____

_____

≈ *Mirando cómo los convidados escogían los primeros lugares, les dijo esta parábola.* ¿En qué momentos he buscado popularidad y alabanzas del mundo? ¿A quién he excluido?

_____

_____

_____

_____

≈ *Déjale el lugar a éste.* ¿Por quién estoy dispuesto a hacer sacrificios? ¿Cómo puedo expandir ese círculo?

_____

_____

_____

_____

≈ *Porque el que se engrandece a sí mismo, será humillado; y el que se humilla, será engrandecido.* ¿En qué momento he cometido el pecado de soberbia? ¿Cómo puedo crecer en humildad?

_____

_____

_____

_____

~ *Después de unos momentos de reflexión en silencio, todos recen la Oración del Señor y la siguiente:*

Oración final

Ante el Señor, su Dios,
gocen los justos, salten de alegría.
Entonen alabanzas a su nombre.
En honor del Señor toquen la cítara.

Porque el Señor, desde su templo santo,
a huérfanos y viudas da su auxilio:
él fue quien dio a los desvalidos casa,
libertad y riqueza a los cautivos.

A tu pueblo extenuado diste fuerzas,
nos colmaste, Señor, de tus favores
y habitó tu rebaño en esta tierra,
que tu amor preparó para los pobres.

Del Salmo 67

Vivir la Palabra esta semana

¿Cómo puedo convertir mi vida en un don de caridad para los demás?

Haz un examen de conciencia a la luz de la doctrina social católica (solo en inglés: *www.usccb.org/prayer-and-worship/sacraments-and -sacramentals/penance/examination-conscience-in-light-of-catholic-social -teaching*) y recibe el sacramento de la Penitencia.

4 de septiembre 2022

Lectio Divina para la XXIII Semana del Tiempo Ordinario

Empecemos nuestra oración:

En el nombre del Padre, y del Hijo, y del Espíritu Santo. Amén.

Señor Dios, de quien nos viene la redención
y a quien debemos la filiación adoptiva,
protege con bondad a los hijos que tanto amas,
para que todos los que creemos en Cristo
obtengamos la verdadera libertad
y la herencia eterna.
Por nuestro Señor Jesucristo, tu Hijo,
que vive y reina contigo en la unidad del Espíritu Santo
y es Dios por los siglos de los siglos.

Oración colecta, XXIII Domingo del Tiempo ordinario

Lectura (*Lectio*)

Lee la siguiente Escritura dos o tres veces.

Lucas 14, 25-33

En aquel tiempo, caminaba con Jesús una gran muchedumbre y él, volviéndose a sus discípulos, les dijo: "Si alguno quiere seguirme y no me prefiere a su padre y a su madre, a su esposa y a sus hijos, a sus hermanos y a sus hermanas, más aún, a sí mismo, no puede ser mi discípulo. Y el que no carga su cruz y me sigue, no puede ser mi discípulo.

Porque, ¿quién de ustedes, si quiere construir una torre, no se pone primero a calcular el costo, para ver si tiene con qué terminarla? No sea que, después de haber echado los cimientos, no pueda acabarla y todos los que se enteren comiencen a burlarse de él, diciendo: 'Este hombre comenzó a construir y no pudo terminar'.

¿O qué rey que va a combatir a otro rey, no se pone primero a considerar si será capaz de salir con diez mil soldados al encuentro del que viene contra él con veinte mil? Porque si no, cuando el otro esté aún lejos, le enviará una embajada para proponerle las condiciones de paz.

Así pues, cualquiera de ustedes que no renuncie a todos sus bienes, no puede ser mi discípulo".

Meditación (*Meditatio*)

Después de la lectura, toma unos momentos para reflexionar en silencio acerca de una o más de las siguientes preguntas:

- ¿Cuál palabra o palabras en este pasaje captaron tu atención?
- ¿Qué parte en este pasaje te consoló?
- ¿Qué parte en este pasaje te desafió?

Si practicas la lectio divina como familia o en un grupo, luego del tiempo de reflexión, invita a los participantes a compartir sus respuestas.

Oración (*Oratio*)

Lee el pasaje de la Escritura una vez más. Dale al Señor la alabanza, petición y acción de gracias que la Palabra te ha inspirado.

Contemplación (*Contemplatio*)

Lee nuevamente el pasaje de la Escritura, seguida de esta reflexión:

≈ ¿Qué conversión de la mente, del corazón y de la vida me pide el Señor?

_____

_____

_____

_____

~ *Si alguno quiere seguirme y no me prefiere . . . más aún, a sí mismo, no puede ser mi discípulo.* ¿Cómo muestro que Dios es mi prioridad principal? ¿A qué estoy dispuesto a renunciar por mi fe?

_____

_____

_____

_____

~ *Este hombre comenzó a construir y no pudo terminar.* ¿Quién ayudó a establecer mis fundamentos en la fe? ¿Qué recursos necesito para construir sobre esa base?

_____

_____

_____

_____

~ *Cuando el otro esté aún lejos, le enviará una embajada para proponerle las condiciones de paz.* ¿Cuáles son las fuentes de división en mi familia y comunidad? ¿Cómo puedo ser pacificador en mi familia y comunidad?

_____

_____

≈ *Después de unos momentos de reflexión en silencio, todos recen la Oración del Señor y la siguiente:*

Oración final

Tú haces volver al polvo a los humanos,
diciendo a los mortales que retornen.
Mil años para ti son como un día
que ya pasó; como una breve noche.

Nuestra vida es tan breve como un sueño;
semejante a la hierba,
que despunta y florece en la mañana
y por la tarde se marchita y se seca.

Enséñanos a ver lo que es la vida
y seremos sensatos.
¿Hasta cuándo, Señor, vas a tener
compasión de tus siervos? ¿Hasta cuándo?

Llénanos de tu amor por la mañana
y júbilo será la vida toda.
Haz, Señor, que tus siervos y sus hijos,
puedan mirar tus obras y tu gloria.

Del Salmo 89

Vivir la Palabra esta semana

¿Cómo puedo convertir mi vida en un don de caridad para los demás?

Ayuna de comida u otro placer por un día y ofrécelo por la paz del mundo.

11 de septiembre 2022

Lectio Divina para la XXIV Semana del Tiempo Ordinario

Empecemos nuestra oración:

En el nombre del Padre, y del Hijo, y del Espíritu Santo. Amén.

Señor Dios, creador y soberano de todas las cosas,
vuelve a nosotros tus ojos
y concede que te sirvamos de todo corazón,
para que experimentemos los efectos de tu misericordia.
Por nuestro Señor Jesucristo, tu Hijo,
que vive y reina contigo en la unidad del Espíritu Santo
y es Dios por los siglos de los siglos.

Oración colecta, XXIV Domingo del Tiempo ordinario

Lectura (*Lectio*)

Lee la siguiente Escritura dos o tres veces.

Lucas 15, 1-10 o 15, 1-32

En aquel tiempo, se acercaban a Jesús los publicanos y los pecadores a escucharlo; por lo cual los fariseos y los escribas murmuraban entre sí: "Éste recibe a los pecadores y come con ellos".

Jesús les dijo entonces esta parábola: "¿Quién de ustedes, si tiene cien ovejas y se le pierde una, no deja las noventa y nueve en el campo y va en busca de la que se le perdió hasta encontrarla? Y una vez que la encuentra, la carga sobre sus hombros, lleno de alegría y al llegar a su casa, reúne a los amigos y vecinos y les dice: 'Alégrense conmigo, porque ya encontré la oveja que se me había perdido'. Yo les aseguro que también en el cielo habrá más alegría por un pecador que se arrepiente, que por noventa y nueve justos, que no necesitan arrepentirse.

¿Y qué mujer hay, que, si tiene diez monedas de plata y pierde una, no enciende luego una lámpara y barre la casa y la busca con cuidado hasta encontrarla? Y cuando la encuentra, reúne a sus amigas y vecinas y les dice: 'Alégrense conmigo, porque ya encontré la moneda que se me había perdido'. Yo les aseguro que así también se alegran los ángeles de Dios por un solo pecador que se arrepiente".

Meditación (*Meditatio*)

Después de la lectura, toma unos momentos para reflexionar en silencio acerca de una o más de las siguientes preguntas:

- ¿Cuál palabra o palabras en este pasaje captaron tu atención?
- ¿Qué parte en este pasaje te consoló?
- ¿Qué parte en este pasaje te desafió?

Si practicas la lectio divina como familia o en un grupo, luego del tiempo de reflexión, invita a los participantes a compartir sus respuestas.

Oración (*Oratio*)

Lee el pasaje de la Escritura una vez más. Dale al Señor la alabanza, petición y acción de gracias que la Palabra te ha inspirado.

Contemplación (*Contemplatio*)

Lee nuevamente el pasaje de la Escritura, seguida de esta reflexión:

~ ¿Qué conversión de la mente, del corazón y de la vida me pide el Señor?

_____

_____

_____

_____

~ *Se acercaban a Jesús los publicanos y los pecadores a escucharlo; por lo cual los fariseos y los escribas murmuraban entre sí.* ¿A dónde me puedo acercar para escuchar a Jesús? ¿En qué momentos mi conducta o actitud ha impedido a otros escuchar a Jesús?

_____

_____

_____

_____

~ *Reúne a los amigos y vecinos y les dice: "Alégrense conmigo, porque ya encontré la oveja que se me había perdido".* ¿En qué momentos he compartido mi fe con amigos y vecinos? ¿Cómo da mi fe testimonio de la alegría del Evangelio?

_____

_____

_____

_____

~ *¿Y qué mujer hay, que si tiene diez monedas de plata y pierde una, no enciende luego una lámpara y barre la casa y la busca con cuidado hasta encontrarla?* ¿Qué estoy buscando? ¿Cómo puede la Iglesia y su enseñanza dar luz a mi búsqueda?

_____

_____

~ *Después de unos momentos de reflexión en silencio, todos recen la Oración del Señor y la siguiente:*

Oración final

Por tu inmensa compasión y misericordia,
Señor, apiádate de mí y olvida mis ofensas.
Lávame bien de todos mis delitos
y purifícame de mis pecados.

Crea en mí, Señor, un corazón puro,
un espíritu nuevo para cumplir tus mandamientos.
No me arrojes, Señor, lejos de ti,
ni retires de mí tu santo espíritu.

Señor, abre mis labios
y cantará mi boca tu alabanza.
Un corazón contrito te presento
y a un corazón contrito, tú nunca lo desprecias.

Del Salmo 50

Vivir la Palabra esta semana

¿Cómo puedo convertir mi vida en un don de caridad para los demás?

Lee el capítulo 5 de *La alegría del Evangelio* (*Evangelium gaudium*): *www.vatican.va/content/francesco/es/apost_exhortations/documents/ papa-francesco_esortazione-ap_20131124_evangelii-gaudium.html.*

18 de septiembre 2022

Lectio Divina para la XXV Semana del Tiempo Ordinario

Empecemos nuestra oración:

En el nombre del Padre, y del Hijo, y del Espíritu Santo. Amén.

Señor Dios, que has hecho del amor a ti y a los hermanos
la plenitud de todo lo mandado en tu santa ley,
concédenos que, cumpliendo tus mandamientos,
merezcamos llegar a la vida eterna.
Por nuestro Señor Jesucristo, tu Hijo,
que vive y reina contigo en la unidad del Espíritu Santo
y es Dios por los siglos de los siglos.

Oración colecta, XXV Domingo del Tiempo ordinario

Lectura (*Lectio*)

Lee la siguiente Escritura dos o tres veces.

Lucas 16, 1-13 o 16, 10-13

En aquel tiempo, Jesús dijo a sus discípulos: "Había una vez un hombre rico que tenía un administrador, el cual fue acusado ante él de haberle malgastado sus bienes. Lo llamó y le dijo: '¿Es cierto lo que me han dicho de ti? Dame cuenta de tu trabajo, porque en adelante ya no serás administrador'.

Entonces el administrador se puso a pensar: '¿Que voy a hacer ahora que me quitan el trabajo? No tengo fuerzas para trabajar la tierra y me da vergüenza pedir limosna. Ya sé lo que voy a hacer, para tener a alguien que me reciba en su casa, cuando me despidan'.

Entonces fue llamando uno por uno a los deudores de su amo. Al primero le preguntó: '¿Cuánto le debes a mi amo?' El hombre respondió: 'Cien barriles de aceite'. El administrador le dijo: 'Toma tu recibo, date prisa y haz otro por cincuenta'. Luego preguntó al siguiente: 'Y tú, ¿cuánto debes?' Éste respondió: 'Cien sacos de trigo'. El administrador le dijo: 'Toma tu recibo y haz otro por ochenta'.

El amo tuvo que reconocer que su mal administrador había procedido con habilidad. Pues los que pertenecen a este mundo son más hábiles en sus negocios, que los que pertenecen a la luz.

Y yo les digo: Con el dinero, tan lleno de injusticias, gánense amigos que, cuando ustedes mueran, los reciban en el cielo.

El que es fiel en las cosas pequeñas, también es fiel en las grandes; y el que es infiel en las cosas pequeñas, también es infiel en las grandes. Si ustedes no son fieles administradores del dinero, tan lleno de injusticias, ¿quién les confiará los bienes verdaderos? Y si no han sido fieles en lo que no es de ustedes, ¿quién les confiará lo que sí es de ustedes?

No hay criado que pueda servir a dos amos, pues odiará a uno y amará al otro, o se apegará al primero y despreciará al segundo. En resumen, no pueden ustedes servir a Dios y al dinero".

Meditación (*Meditatio*)

Después de la lectura, toma unos momentos para reflexionar en silencio acerca de una o más de las siguientes preguntas:

- ¿Cuál palabra o palabras en este pasaje captaron tu atención?
- ¿Qué parte en este pasaje te consoló?
- ¿Qué parte en este pasaje te desafió?

Si practicas la lectio divina como familia o en un grupo, luego del tiempo de reflexión, invita a los participantes a compartir sus respuestas.

Oración (*Oratio*)

Lee el pasaje de la Escritura una vez más. Dale al Señor la alabanza, petición y acción de gracias que la Palabra te ha inspirado.

Contemplación (*Contemplatio*)

Lee nuevamente el pasaje de la Escritura, seguida de esta reflexión:

≈ ¿Qué conversión de la mente, del corazón y de la vida me pide el Señor?

_____

_____

_____

_____

≈ *Ya sé lo que voy a hacer, para tener a alguien que me reciba en su casa, cuando me despidan.* ¿Cómo acepto la hospitalidad? ¿Cómo extiendo hospitalidad a los demás, y en especial a quienes están en las periferias?

_____

_____

_____

_____

≈ *Si ustedes no son fieles administradores del dinero, tan lleno de injusticias, ¿quién les confiará los bienes verdaderos?* ¿Cuál es mi verdadera riqueza? ¿Cómo administro esta riqueza con cuidado?

_____

_____

_____

_____

~ *No hay criado que pueda servir a dos amos.* ¿A quién sirvo? ¿Cómo se muestra este servicio en mi vida diaria?

_____

_____

_____

_____

~ *Después de unos momentos de reflexión en silencio, todos recen la Oración del Señor y la siguiente:*

Oración final

Bendito sea el Señor,
alábenlo sus siervos.
Bendito sea el Señor,
desde ahora y para siempre.

Dios está sobre todas las naciones,
su gloria por encima de los cielos.
¿Quién hay como el Señor?
¿Quién iguala al Dios nuestro?

Él tiene en las alturas su morada
y sin embargo de esto,
bajar se digna su mirada
para ver tierra y cielo.

Él levanta del polvo al desvalido
y saca al indigente del estiércol
para hacerlo sentar entre los grandes,
los jefes de su pueblo.

Del Salmo 112

Vivir la Palabra esta semana

¿Cómo puedo convertir mi vida en un don de caridad para los demás?

Aprende sobre iniciativas de justicia social en tu parroquia y diócesis y considera en oración cómo podrías participar.

25 de septiembre 2022

Lectio Divina para la XXVI Semana del Tiempo Ordinario

Empecemos nuestra oración:

En el nombre del Padre, y del Hijo, y del Espíritu Santo. Amén.

Señor Dios, que manifiestas tu poder de una manera admirable
sobre todo cuando perdonas y ejerces tu misericordia,
multiplica tu gracia sobre nosotros,
para que, apresurándonos hacia lo que nos prometes,
nos hagas partícipes de los bienes celestiales.
Por nuestro Señor Jesucristo, tu Hijo,
que vive y reina contigo en la unidad del Espíritu Santo
y es Dios por los siglos de los siglos.

Oración colecta, XXVI Domingo del Tiempo ordinario

Lectura (*Lectio*)

Lee la siguiente Escritura dos o tres veces.

Lucas 16, 19-31

En aquel tiempo, Jesús dijo a los fariseos: "Había un hombre rico, que se vestía de púrpura y telas finas y banqueteaba espléndidamente cada día. Y un mendigo, llamado Lázaro, yacía a la entrada de su casa, cubierto de llagas y ansiando llenarse con las sobras que caían de la mesa del rico. Y hasta los perros se acercaban a lamerle las llagas.

Sucedió, pues, que murió el mendigo y los ángeles lo llevaron al seno de Abraham. Murió también el rico y lo enterraron. Estaba éste en el lugar de castigo, en medio de tormentos, cuando levantó los ojos y vio a lo lejos a Abraham y a Lázaro junto a él.

Entonces gritó: 'Padre Abraham, ten piedad de mí. Manda a Lázaro que moje en agua la punta de su dedo y me refresque la lengua, porque me torturan estas llamas'. Pero Abraham le contestó: 'Hijo, recuerda que en tu vida recibiste bienes y Lázaro, en cambio, males. Por eso él goza ahora de consuelo, mientras que tú sufres tormentos. Además, entre ustedes y nosotros se abre un abismo inmenso, que nadie puede cruzar, ni hacia allá ni hacia acá'.

El rico insistió: 'Te ruego, entonces, padre Abraham, que mandes a Lázaro a mi casa, pues me quedan allá cinco hermanos, para que les advierta y no acaben también ellos en este lugar de tormentos'. Abraham le dijo: 'Tienen a Moisés y a los profetas; que los escuchen'. Pero el rico replicó: 'No, padre Abraham. Si un muerto va a decírselo, entonces sí se arrepentirán'. Abraham repuso: 'Si no escuchan a Moisés y a los profetas, no harán caso, ni aunque resucite un muerto'".

Meditación (*Meditatio*)

Después de la lectura, toma unos momentos para reflexionar en silencio acerca de una o más de las siguientes preguntas:

- ¿Cuál palabra o palabras en este pasaje captaron tu atención?
- ¿Qué parte en este pasaje te consoló?
- ¿Qué parte en este pasaje te desafió?

Si practicas la lectio divina como familia o en un grupo, luego del tiempo de reflexión, invita a los participantes a compartir sus respuestas.

Oración (*Oratio*)

Lee el pasaje de la Escritura una vez más. Dale al Señor la alabanza, petición y acción de gracias que la Palabra te ha inspirado.

Contemplación (*Contemplatio*)

Lee nuevamente el pasaje de la Escritura, seguida de esta reflexión:

~ ¿Qué conversión de la mente, del corazón y de la vida me pide el Señor?

_____

_____

_____

_____

≈ *Padre Abraham, ten piedad de mí. Manda a Lázaro que moje en agua la punta de su dedo y me refresque la lengua, porque me torturan estas llamas.* ¿Por qué cosas debo pedir a Dios su piedad y compasión? ¿Cómo puedo llevar consuelo a quienes están sufriendo?

_____

_____

_____

_____

≈ *Hijo, recuerda que en tu vida recibiste bienes.* ¿Qué cosas buenas me ha dado Dios en la vida? ¿Cómo puedo ser más generoso en compartir esos dones?

_____

_____

_____

_____

≈ *Si no escuchan a Moisés y a los profetas, no harán caso, ni aunque resucite un muerto.* ¿Qué predicación encuentro más persuasiva? ¿A quién escucho?

_____

_____

Después de unos momentos de reflexión en silencio, todos recen la Oración del Señor y la siguiente:

Oración final

El Señor siempre es fiel a su palabra,
y es quien hace justicia al oprimido;
él proporciona pan a los hambrientos
y libera al cautivo.

Abre el Señor los ojos de los ciegos
y alivia al agobiado.
Ama el Señor al hombre justo
y toma al forastero a su cuidado.

A la viuda y al huérfano sustenta
y trastorna los planes del inicuo.
Reina el Señor eternamente,
reina tu Dios, oh Sión, reina por siglos.

Del Salmo 145

Vivir la Palabra esta semana

¿Cómo puedo convertir mi vida en un don de caridad para los demás?

Realiza una (o más) de las obras de misericordia corporales.

2 de octubre 2022

Lectio Divina para la XXVII Semana del Tiempo Ordinario

Empecemos nuestra oración:

En el nombre del Padre, y del Hijo, y del Espíritu Santo. Amén.

Dios todopoderoso y eterno,
que en la superabundancia de tu amor
sobrepasas los méritos y aun los deseos de los que te suplican,
derrama sobre nosotros tu misericordia
para que libres nuestra conciencia de toda inquietud
y nos concedas aun aquello que no nos atrevemos a pedir.
Por nuestro Señor Jesucristo, tu Hijo,
que vive y reina contigo en la unidad del Espíritu Santo
y es Dios por los siglos de los siglos.

Oración colecta, XXVII Domingo del Tiempo ordinario

Lectura (*Lectio*)

Lee la siguiente Escritura dos o tres veces.

Lucas 17, 5-10

En aquel tiempo, los apóstoles dijeron al Señor: "Auméntanos la fe". El Señor les contestó: "Si tuvieran fe, aunque fuera tan pequeña como una semilla de mostaza, podrían decir a ese árbol frondoso: 'Arráncate de raíz y plántate en el mar', y los obedecería.

¿Quién de ustedes, si tiene un siervo que labra la tierra o pastorea los rebaños, le dice cuando éste regresa del campo: 'Entra en seguida y ponte a comer'? ¿No le dirá más bien: 'Prepárame de comer y disponte a servirme, para que yo coma y beba; después comerás y beberás tú'? ¿Tendrá acaso que mostrarse agradecido con el siervo, porque éste cumplió con su obligación?

Así también ustedes, cuando hayan cumplido todo lo que se les mandó, digan: 'No somos más que siervos, sólo hemos hecho lo que teníamos que hacer'".

Meditación (*Meditatio*)

Después de la lectura, toma unos momentos para reflexionar en silencio acerca de una o más de las siguientes preguntas:

- ¿Cuál palabra o palabras en este pasaje captaron tu atención?
- ¿Qué parte en este pasaje te consoló?
- ¿Qué parte en este pasaje te desafió?

Si practicas la lectio divina como familia o en un grupo, luego del tiempo de reflexión, invita a los participantes a compartir sus respuestas.

Oración (*Oratio*)

Lee el pasaje de la Escritura una vez más. Dale al Señor la alabanza, petición y acción de gracias que la Palabra te ha inspirado.

Contemplación (*Contemplatio*)

Lee nuevamente el pasaje de la Escritura, seguida de esta reflexión:

~ ¿Qué conversión de la mente, del corazón y de la vida me pide el Señor?

_____

_____

_____

_____

~ *Si tuvieran fe, aunque fuera tan pequeña como una semilla de mostaza. . . .* ¿Cómo estoy cultivando la semilla de mi fe? ¿Qué recursos tengo para fortalecer mi fe?

_____

_____

~ *Entra en seguida y ponte a comer.* ¿A qué me está llamando Dios? ¿Quién debe ser invitado a la mesa?

_____

_____

_____

_____

~ *Cuando hayan cumplido todo lo que se les mandó. . . .* ¿Con cuánta fidelidad vivo los mandamientos? ¿Qué conductas de pecado debo presentar a Dios para ser sanadas?

_____

_____

_____

_____

~ *Después de unos momentos de reflexión en silencio, todos recen la Oración del Señor y la siguiente:*

Oración final

Vengan, lancemos vivas al Señor,
aclamemos al Dios que nos salva.
Acerquémonos a él, llenos de júbilo,
y démosle gracias.

Vengan, y puestos de rodillas,
adoremos y bendigamos al Señor, que nos hizo,
pues él es nuestro Dios y nosotros, su pueblo;
él es nuestro pastor y nosotros, sus ovejas.

Hagámosle caso al Señor, que nos dice:
"No endurezcan su corazón,
como el día de la rebelión en el desierto,
cuando sus padres dudaron de mí,
aunque habían visto mis obras".

Del Salmo 94

Vivir la Palabra esta semana

¿Cómo puedo convertir mi vida en un don de caridad para los demás?

Antes de ir a dormir cada noche, revisa tu día para discernir con qué fidelidad seguiste los mandamientos y viviste tu fe y reconocer los momentos en que Dios estuvo presente.

9 de octubre 2022

Lectio Divina para la XXVIII Semana del Tiempo Ordinario

Empecemos nuestra oración:

En el nombre del Padre, y del Hijo, y del Espíritu Santo. Amén.

Te pedimos, Señor, que tu gracia
continuamente nos disponga y nos acompañe,
de manera que estemos siempre dispuestos a obrar el bien.
Por nuestro Señor Jesucristo, tu Hijo,
que vive y reina contigo en la unidad del Espíritu Santo
y es Dios por los siglos de los siglos.

Oración colecta, XXVIII Domingo del Tiempo ordinario

Lectura (*Lectio*)

Lee la siguiente Escritura dos o tres veces.

Lucas 17, 11-19

En aquel tiempo, cuando Jesús iba de camino a Jerusalén, pasó entre Samaria y Galilea. Estaba cerca de un pueblo, cuando le salieron al encuentro diez leprosos, los cuales se detuvieron a lo lejos y a gritos le decían: "Jesús, maestro, ten compasión de nosotros".

Al verlos, Jesús les dijo: "Vayan a presentarse a los sacerdotes". Mientras iban de camino, quedaron limpios de la lepra.

Uno de ellos, al ver que estaba curado, regresó, alabando a Dios en voz alta, se postró a los pies de Jesús y le dio las gracias. Ese era un samaritano. Entonces dijo Jesús: "¿No eran diez los que quedaron limpios? ¿Dónde están los otros nueve? ¿No ha habido nadie, fuera de este extranjero, que volviera para dar gloria a Dios?" Después le dijo al samaritano: "Levántate y vete. Tu fe te ha salvado".

Meditación (*Meditatio*)

Después de la lectura, toma unos momentos para reflexionar en silencio acerca de una o más de las siguientes preguntas:

- ¿Cuál palabra o palabras en este pasaje captaron tu atención?
- ¿Qué parte en este pasaje te consoló?
- ¿Qué parte en este pasaje te desafió?

Si practicas la lectio divina como familia o en un grupo, luego del tiempo de reflexión, invita a los participantes a compartir sus respuestas.

Oración (*Oratio*)

Lee el pasaje de la Escritura una vez más. Dale al Señor la alabanza, petición y acción de gracias que la Palabra te ha inspirado.

Contemplación (*Contemplatio*)

Lee nuevamente el pasaje de la Escritura, seguida de esta reflexión:

≈ ¿Qué conversión de la mente, del corazón y de la vida me pide el Señor?

_____

_____

_____

_____

≈ *En aquel tiempo, cuando Jesús iba de camino a Jerusalén, pasó entre Samaria y Galilea.* ¿Dónde estoy en mi camino spiritual? ¿Qué posibles caídas me encuentro en este camino?

_____

_____

_____

_____

~ *Mientras iban de camino, quedaron limpios de la lepra.* ¿De qué necesito ser purificado? ¿Qué ocasiones de pecado debo evitar?

_____

_____

_____

_____

~ *Se postró a los pies de Jesús y le dio las gracias.* ¿Cómo expreso mi gratitud a Dios? ¿Cómo muestro a Dios reverencia y adoración?

_____

_____

_____

_____

~ *Después de unos momentos de reflexión en silencio, todos recen la Oración del Señor y la siguiente:*

Oración final

Cantemos al Señor un canto nuevo,
pues ha hecho maravillas.
Su diestra y su santo brazo
le han dado la victoria.

El Señor ha dado a conocer su victoria,
y ha revelado a las naciones su justicia.
Una vez más ha demostrado Dios
su amor y su lealtad hacia Israel.

La tierra entera ha contemplado
la victoria de nuestro Dios.
Que todos los pueblos y naciones
aclamen con júbilo al Señor.

Del Salmo 97

Vivir la Palabra esta semana

¿Cómo puedo convertir mi vida en un don de caridad para los demás?

Coloca un crucifijo en tu casa y ora ante él todos los días pidiendo el espíritu de conversión y gratitud.

16 de octubre 2022

Lectio Divina para la XXIX Semana del Tiempo Ordinario

Empecemos nuestra oración:

En el nombre del Padre, y del Hijo, y del Espíritu Santo. Amén.

Dios todopoderoso y eterno,
haz que nuestra voluntad sea siempre dócil a la tuya
y que te sirvamos con un corazón sincero.
Por nuestro Señor Jesucristo, tu Hijo,
que vive y reina contigo en la unidad del Espíritu Santo
y es Dios por los siglos de los siglos.

Oración colecta, XXIX Domingo del Tiempo ordinario

Lectura (*Lectio*)

Lee la siguiente Escritura dos o tres veces.

Lucas 18, 1-8

En aquel tiempo, para enseñar a sus discípulos la necesidad de orar siempre y sin desfallecer, Jesús les propuso esta parábola:

"En cierta ciudad había un juez que no temía a Dios ni respetaba a los hombres. Vivía en aquella misma ciudad una viuda que acudía a él con frecuencia para decirle: 'Hazme justicia contra mi adversario'.

Por mucho tiempo, el juez no le hizo caso, pero después se dijo: 'Aunque no temo a Dios ni respeto a los hombres, sin embargo, por la insistencia de esta viuda, voy a hacerle justicia para que no me siga molestando'".

Dicho esto, Jesús comentó: "Si así pensaba el juez injusto, ¿creen acaso que Dios no hará justicia a sus elegidos, que claman a él día y noche, y que los hará esperar? Yo les digo que les hará justicia sin tardar. Pero, cuando venga el Hijo del hombre, ¿creen ustedes que encontrará fe sobre la tierra?"

Meditación (*Meditatio*)

Después de la lectura, toma unos momentos para reflexionar en silencio acerca de una o más de las siguientes preguntas:

- ¿Cuál palabra o palabras en este pasaje captaron tu atención?
- ¿Qué parte en este pasaje te consoló?
- ¿Qué parte en este pasaje te desafió?

Si practicas la lectio divina como familia o en un grupo, luego del tiempo de reflexión, invita a los participantes a compartir sus respuestas.

Oración (*Oratio*)

Lee el pasaje de la Escritura una vez más. Dale al Señor la alabanza, petición y acción de gracias que la Palabra te ha inspirado.

Contemplación (*Contemplatio*)

Lee nuevamente el pasaje de la Escritura, seguida de esta reflexión:

~ ¿Qué conversión de la mente, del corazón y de la vida me pide el Señor?

_____

_____

_____

_____

~ *En cierta ciudad había un juez que no temía a Dios ni respetaba a los hombres.* ¿Cómo entiendo el don de temor de Dios del Espíritu Santo? ¿Cómo puedo intensificar la intención de ver la imagen de Dios en cada persona con quien me encuentro?

_____

_____

_____

_____

≈ *Hazme justicia contra mi adversario.* ¿En qué momento he sufrido una injusticia? ¿Cómo respondí a esa injusticia a la luz de mi fe?

_____

_____

_____

_____

≈ *¿Que los hará esperar?* ¿Qué tengo que pedirle a Dios hoy? ¿Cómo reacciono cuando Dios no responde a mis oraciones dentro de mi propio calendario?

_____

_____

_____

_____

≈ *Después de unos momentos de reflexión en silencio, todos recen la Oración del Señor y la siguiente:*

Oración final

La mirada dirijo hacia la altura
de donde ha de venirme todo auxilio.
El auxilio me viene del Señor,
que hizo el cielo y la tierra.

No dejará que des un paso en falso,
pues es tu guardián y nunca duerme.
No, jamás se dormirá o descuidará
el guardián de Israel.

El Señor te protege y te da sombra,
está siempre a tu lado.
No te hará daño el sol durante el día
ni la luna, de noche.

Te guardará el Señor en los peligros
y cuidará tu vida;
protegerá tus ires y venires,
ahora y para siempre.

Del Salmo 120

Vivir la Palabra esta semana

¿Cómo puedo convertir mi vida en un don de caridad para los demás?

Ora por una toma de decisiones justa y compasiva por parte de todos los que están implicados en la administración de la justicia.

23 de octubre 2022

Lectio Divina para la XXX Semana del Tiempo Ordinario

Empecemos nuestra oración:

En el nombre del Padre, y del Hijo, y del Espíritu Santo. Amén.

Dios todopoderoso y eterno,
aumenta en nosotros la fe, la esperanza y la caridad,
y para que merezcamos alcanzar lo que nos prometes,
concédenos amar lo que nos mandas.
Por nuestro Señor Jesucristo, tu Hijo,
que vive y reina contigo en la unidad del Espíritu Santo
y es Dios por los siglos de los siglos.

Oración colecta, XXX Domingo del Tiempo ordinario

Lectura (*Lectio*)

Lee la siguiente Escritura dos o tres veces.

Lucas 18, 9-14

En aquel tiempo, Jesús dijo esta parábola sobre algunos que se tenían por justos y despreciaban a los demás:

"Dos hombres subieron al templo para orar: uno era fariseo y el otro, publicano. El fariseo, erguido, oraba así en su interior: 'Dios mío, te doy gracias porque no soy como los demás hombres: ladrones, injustos y adúlteros; tampoco soy como ese publicano. Ayuno dos veces por semana y pago el diezmo de todas mis ganancias'.

El publicano, en cambio, se quedó lejos y no se atrevía a levantar los ojos al cielo. Lo único que hacía era golpearse el pecho, diciendo: 'Dios mío, apiádate de mí, que soy un pecador'.

Pues bien, yo les aseguro que éste bajó a su casa justificado y aquél no; porque todo el que se enaltece será humillado y el que se humilla será enaltecido".

Meditación (*Meditatio*)

Después de la lectura, toma unos momentos para reflexionar en silencio acerca de una o más de las siguientes preguntas:

- ¿Cuál palabra o palabras en este pasaje captaron tu atención?
- ¿Qué parte en este pasaje te consoló?
- ¿Qué parte en este pasaje te desafió?

Si practicas la lectio divina como familia o en un grupo, luego del tiempo de reflexión, invita a los participantes a compartir sus respuestas.

Oración (*Oratio*)

Lee el pasaje de la Escritura una vez más. Dale al Señor la alabanza, petición y acción de gracias que la Palabra te ha inspirado.

Contemplación (*Contemplatio*)

Lee nuevamente el pasaje de la Escritura, seguida de esta reflexión:

~ ¿Qué conversión de la mente, del corazón y de la vida me pide el Señor?

~ *Dos hombres subieron al templo para orar.* ¿Dónde voy yo para orar? ¿Qué puedo hacer para fortalecer mi vida de oración?

≈ *'Dios mío, te doy gracias porque no soy como los demás hombres.* ¿A qué personas o grupos juzgo? ¿A quienes excluyo de mi círculo de amor?

_____

_____

_____

_____

≈ *Dios mío, apiádate de mí, que soy un pecador.* ¿De qué pecados debo arrepentirme? ¿Cómo puedo abrir mi corazón al don de la misericordia de Dios?

_____

_____

_____

_____

≈ *Después de unos momentos de reflexión en silencio, todos recen la Oración del Señor y la siguiente:*

Oración final

Bendeciré al Señor a todas horas,
no cesará mi boca de alabarlo.
Yo me siento orgulloso del Señor,
que se alegre su pueblo al escucharlo.

En contra del malvado está el Señor,
para borrar de la tierra su recuerdo.
Escucha, en cambio, al hombre justo
y lo libra de todas sus congojas.

El Señor no está lejos de sus fieles
y levanta a las almas abatidas.
Salve el Señor la vida de sus siervos.
No morirán quienes en él esperan.

Del Salmo 33

Vivir la Palabra esta semana

¿Cómo puedo convertir mi vida en un don de caridad para los demás?

Celebra el amor misericordioso de Dios recibiendo el Sacramento de la Penitencia.

30 de octubre 2022

Lectio Divina para la XXXI Semana del Tiempo Ordinario

Empecemos nuestra oración:

En el nombre del Padre, y del Hijo, y del Espíritu Santo. Amén.

Dios omnipotente y misericordioso,
a cuya gracia se debe el que tus fieles puedan
servirte digna y laudablemente,
concédenos caminar sin tropiezos
hacia los bienes que nos tienes prometidos.
Por nuestro Señor Jesucristo, tu Hijo,
que vive y reina contigo en la unidad del Espíritu Santo
y es Dios por los siglos de los siglos.

Oración colecta, XXXI Domingo del Tiempo ordinario

Lectura (*Lectio*)

Lee la siguiente Escritura dos o tres veces.

Lucas 19, 1-10

En aquel tiempo, Jesús entró en Jericó, y al ir atravesando la ciudad, sucedió que un hombre llamado Zaqueo, jefe de publicanos y rico, trataba de conocer a Jesús; pero la gente se lo impedía, porque Zaqueo era de baja estatura. Entonces corrió y se subió a un árbol para verlo cuando pasara por ahí. Al llegar a ese lugar, Jesús levantó los ojos y le dijo: "Zaqueo, bájate pronto, porque hoy tengo que hospedarme en tu casa".

Él bajó enseguida y lo recibió muy contento. Al ver esto, comenzaron todos a murmurar diciendo: "Ha entrado a hospedarse en casa de un pecador".

Zaqueo, poniéndose de pie, dijo a Jesús: "Mira, Señor, voy a dar a los pobres la mitad de mis bienes, y si he defraudado a alguien, le restituiré cuatro veces más". Jesús le dijo: "Hoy ha llegado la salvación a esta casa, porque también él es hijo de Abraham, y el Hijo del hombre ha venido a buscar y a salvar lo que se había perdido".

Meditación (*Meditatio*)

Después de la lectura, toma unos momentos para reflexionar en silencio acerca de una o más de las siguientes preguntas:

- ¿Cuál palabra o palabras en este pasaje captaron tu atención?
- ¿Qué parte en este pasaje te consoló?
- ¿Qué parte en este pasaje te desafió?

Si practicas la lectio divina como familia o en un grupo, luego del tiempo de reflexión, invita a los participantes a compartir sus respuestas.

Oración (*Oratio*)

Lee el pasaje de la Escritura una vez más. Dale al Señor la alabanza, petición y acción de gracias que la Palabra te ha inspirado.

Contemplación (*Contemplatio*)

Lee nuevamente el pasaje de la Escritura, seguida de esta reflexión:

≈ ¿Qué conversión de la mente, del corazón y de la vida me pide el Señor?

_____

_____

_____

_____

≈ *Entonces corrió y se subió a un árbol para verlo cuando pasara por ahí.* ¿Qué puedo hacer para buscar al Señor más intensamente? ¿Cómo puedo crecer en discipulado

_____

_____

_____

_____

~ *Mira, Señor, voy a dar a los pobres la mitad de mis bienes.* ¿Cómo puedo responder a las necesidades inmediatas de quienes son pobres? ¿Cómo puedo tratar con las estructuras de pecado que mantienen a las personas en la pobreza?

_____

_____

_____

_____

~ *Hoy ha llegado la salvación a esta casa.* ¿Cómo he experimentado la presencia y acción de Dios hoy? ¿Cómo puedo ayudar a otros a llegar a conocer la acción salvadora de Dios?

_____

_____

_____

_____

~ *Después de unos momentos de reflexión en silencio, todos recen la Oración del Señor y la siguiente:*

Oración final

Dios y rey mío, yo te alabaré,
bendeciré tu nombre siempre y para siempre.
Un día tras otro bendeciré tu nombre
y no cesará mi boca de alabarte.

El Señor es compasivo y misericordioso,
lento para enojarse y generoso para perdonar.
Bueno es el Señor para con todos
y su amor se extiende a todas sus creaturas.

Que te alaben, Señor, todas tus obras
y que todos tus fieles te bendigan.
Que proclamen la gloria de tu reino
y narren tus proezas a los hombres.

El Señor es siempre fiel a sus palabras
y lleno de bondad en sus acciones.
Dé su apoyo el Señor al que tropieza
y al agobiado alivia.

Del Salmo 144

Vivir la Palabra esta semana

¿Cómo puedo convertir mi vida en un don de caridad para los demás?

Aprende más sobre poner los dos pies del amor en acción: *www. usccb.org/beliefs-and-teachings/what-we-believe/catholic-social-teaching/ two-feet-of-love-in-action* (página en inglés, con recursos en español).

1⁰ de noviembre 2022

Lectio Divina para la Solemnidad de Todos los Santos

Empecemos nuestra oración:

En el nombre del Padre, y del Hijo, y del Espíritu Santo. Amén.

Dios todopoderoso y eterno, que nos concedes venerar
los méritos de todos tus santos en una sola fiesta,
te rogamos, por las súplicas de tan numerosos intercesores,
que en tu generosidad nos concedas la deseada abundancia de tu gracia.
Por nuestro Señor Jesucristo, tu Hijo,
que vive y reina contigo en la unidad del Espíritu Santo
y es Dios por los siglos de los siglos.

Oración colecta, Solemnidad de Todos los Santos

Lectura (*Lectio*)

Lee la siguiente Escritura dos o tres veces.

Mateo 5, 1-12

En aquel tiempo, cuando Jesús vio a la muchedumbre, subió al monte y se sentó. Entonces se le acercaron sus discípulos. Enseguida comenzó a enseñarles, hablándoles así:

"Dichosos los pobres de espíritu,
porque de ellos es el Reino de los cielos.
Dichosos los que lloran,
porque serán consolados.
Dichosos los sufridos,
porque heredarán la tierra.
Dichosos los que tienen hambre y sed de justicia,
porque serán saciados.
Dichosos los misericordiosos,
porque obtendrán misericordia.
Dichosos los limpios de corazón,
porque verán a Dios.
Dichosos los que trabajan por la paz,
porque se les llamará hijos de Dios.
Dichosos los perseguidos por causa de la justicia,
porque de ellos es el Reino de los cielos.

Dichosos serán ustedes, cuando los injurien, los persigan y digan cosas falsas de ustedes por causa mía. Alégrense y salten de contento, porque su premio será grande en los cielos".

Meditación (*Meditatio*)

Después de la lectura, toma unos momentos para reflexionar en silencio acerca de una o más de las siguientes preguntas:

- ¿Cuál palabra o palabras en este pasaje captaron tu atención?
- ¿Qué parte en este pasaje te consoló?
- ¿Qué parte en este pasaje te desafió?

Si practicas la lectio divina como familia o en un grupo, luego del tiempo de reflexión, invita a los participantes a compartir sus respuestas.

Oración (*Oratio*)

Lee el pasaje de la Escritura una vez más. Dale al Señor la alabanza, petición y acción de gracias que la Palabra te ha inspirado.

Contemplación (*Contemplatio*)

Lee nuevamente el pasaje de la Escritura, seguida de esta reflexión:

~ ¿Qué conversión de la mente, del corazón y de la vida me pide el Señor?

~ *Dichosos los que lloran, | porque serán consolados.* ¿A quién conozco que está de luto? ¿Qué ofertas prácticas de consuelo puedo hacer para ayudarles?

_____

_____

_____

_____

~ *Dichosos los sufridos, | porque heredarán la tierra.* ¿Cómo puedo crecer en humildad? ¿Cómo puedo mostrar un mayor respeto y cuidado para con la tierra y sus recursos?

_____

_____

_____

_____

~ *Dichosos los que trabajan por la paz, | porque se les llamará hijos de Dios.* ¿Qué cosas quitan la paz a mi familia, mi comunidad, el mundo? ¿Cómo puedo ser una fuerza para la paz?

_____

_____

➤ *Después de unos momentos de reflexión en silencio, todos recen la Oración del Señor y la siguiente:*

Oración final

Del Señor es la tierra y lo que ella tiene,
el orbe todo y los que en él habitan,
pues él lo edificó sobre los mares
él fue quien lo asentó sobre los ríos.

¿Quién subirá hasta el monte del Señor?
¿Quién podrá estar en su recinto santo?
El de corazón limpio y manos puras
y que no jura en falso.

Ese obtendrá la bendición de Dios,
y Dios, su salvador, le hará justicia.
Esta es la clase de hombres que te buscan
y vienen ante ti, Dios de Jacob.

Del Salmo 23

Vivir la Palabra esta semana

¿Cómo puedo convertir mi vida en un don de caridad para los demás?

Ora con las noticias esta semana, ofreciendo tus oraciones y sacrificios por las necesidades que aparecen en las principales noticias del día.

6 de noviembre 2022

Lectio Divina para la XXXII Semana del Tiempo Ordinario

Empecemos nuestra oración:

En el nombre del Padre, y del Hijo, y del Espíritu Santo. Amén.

Dios omnipotente y misericordioso,
aparta de nosotros todos los males,
para que, con el alma y el cuerpo bien dispuestos,
podamos con libertad de espíritu
cumplir lo que es de tu agrado.
Por nuestro Señor Jesucristo, tu Hijo,
que vive y reina contigo en la unidad del Espíritu Santo
y es Dios por los siglos de los siglos.

Oración colecta, XXXII Domingo del Tiempo ordinario

Lectura (*Lectio*)

Lee la siguiente Escritura dos o tres veces.

Lucas 20, 27-38 o 20, 27. 34-38

En aquel tiempo, se acercaron a Jesús algunos saduceos. Como los saduceos niegan la resurrección de los muertos, le preguntaron: "Maestro, Moisés nos dejó escrito que si alguno tiene un hermano casado que muere sin haber tenido hijos, se case con la viuda para dar descendencia a su hermano. Hubo una vez siete hermanos, el mayor de los cuales se casó y murió sin dejar hijos. El segundo, el tercero y los demás, hasta el séptimo, tomaron por esposa a la viuda y todos murieron sin dejar sucesión. Por fin murió también la viuda. Ahora bien, cuando llegue la resurrección, ¿de cuál de ellos será esposa la mujer, pues los siete estuvieron casados con ella?"

Jesús les dijo: "En esta vida, hombres y mujeres se casan, pero en la vida futura, los que sean juzgados dignos de ella y de la resurrección de los muertos, no se casarán ni podrán ya morir, porque serán como los ángeles e hijos de Dios, pues él los habrá resucitado.

Y que los muertos resucitan, el mismo Moisés lo indica en el episodio de la zarza, cuando llama al Señor, *Dios de Abraham, Dios de Isaac, Dios de Jacob*. Porque Dios no es Dios de muertos, sino de vivos, pues para él todos viven".

Meditación (*Meditatio*)

Después de la lectura, toma unos momentos para reflexionar en silencio acerca de una o más de las siguientes preguntas:

- ¿Cuál palabra o palabras en este pasaje captaron tu atención?
- ¿Qué parte en este pasaje te consoló?
- ¿Qué parte en este pasaje te desafió?

Si practicas la lectio divina como familia o en un grupo, luego del tiempo de reflexión, invita a los participantes a compartir sus respuestas.

Oración (*Oratio*)

Lee el pasaje de la Escritura una vez más. Dale al Señor la alabanza, petición y acción de gracias que la Palabra te ha inspirado.

Contemplación (*Contemplatio*)

Lee nuevamente el pasaje de la Escritura, seguida de esta reflexión:

~ ¿Qué conversión de la mente, del corazón y de la vida me pide el Señor?

_____

_____

_____

_____

≈ *Como los saduceos . . . le preguntaron.* ¿A dónde acudo para encontrar respuestas? ¿Qué pregunta le haría a Jesús?

≈ *Maestro, Moisés nos dejó escrito. . . .* ¿Quiénes han sido mis maestros en la fe? ¿Qué papel juega la Escritura en mi vida de fe?

≈ *Los que sean juzgados dignos de ella y de la resurrección de los muertos.* ¿Cómo estoy preparando mi corazón y alma para la era venidera? ¿Cómo puedo crecer en mi fidelidad al Evangelio?

~ *Después de unos momentos de reflexión en silencio, todos recen la Oración del Señor y la siguiente:*

Oración final

Señor, hazme justicia
y a mi clamor atiende;
presta oído a mi súplica,
pues mis labios no mienten.

Mis pies en tus caminos se mantuvieron firmes,
no tembló mi pisada.
A ti mi voz elevo, pues sé que me respondes.
Atiéndeme, Dios mío, y escucha mis palabras.

Protégeme, Señor, como a las niñas de tus ojos,
bajo la sombra de tus alas escóndeme,
pues yo, por serte fiel, contemplaré tu rostro
y al despertarme, espero saciarme de tu vista.

Del Salmo 16

Vivir la Palabra esta semana

¿Cómo puedo convertir mi vida en un don de caridad para los demás?

Investiga los esfuerzos catequéticos de tu parroquia y en oración considera cómo podrías involucrarte.

13 de noviembre 2022

Lectio Divina para la XXXIII Semana del Tiempo Ordinario

Empecemos nuestra oración:

En el nombre del Padre, y del Hijo, y del Espíritu Santo. Amén.

Concédenos, Señor, Dios nuestro,
alegrarnos siempre en tu servicio,
porque la profunda y verdadera alegría
está en servirte siempre a ti,
autor de todo bien.
Por nuestro Señor Jesucristo, tu Hijo,
que vive y reina contigo en la unidad del Espíritu Santo
y es Dios por los siglos de los siglos.

Oración colecta, XXXIII Domingo del Tiempo ordinario

Lectura (*Lectio*)

Lee la siguiente Escritura dos o tres veces.

Lucas 21, 5-19

En aquel tiempo, como algunos ponderaban la solidez de la construcción del templo y la belleza de las ofrendas votivas que lo adornaban, Jesús dijo: "Días vendrán en que no quedará piedra sobre piedra de todo esto que están admirando; todo será destruido".

Entonces le preguntaron: "Maestro, ¿cuándo va a ocurrir esto y cuál será la señal de que ya está a punto de suceder?" Él les respondió: "Cuídense de que nadie los engañe, porque muchos vendrán usurpando mi nombre y dirán: 'Yo soy el Mesías. El tiempo ha llegado'. Pero no les hagan caso. Cuando oigan hablar de guerras y revoluciones, que no los domine el pánico, porque eso tiene que acontecer, pero todavía no es el fin".

Luego les dijo: "Se levantará una nación contra otra y un reino contra otro. En diferentes lugares habrá grandes terremotos, epidemias y hambre, y aparecerán en el cielo señales prodigiosas y terribles.

Pero antes de todo esto los perseguirán a ustedes y los apresarán; los llevarán a los tribunales y a la cárcel, y los harán comparecer ante reyes y gobernadores, por causa mía. Con esto darán testimonio de mí.

Grábense bien que no tienen que preparar de antemano su defensa, porque yo les daré palabras sabias, a las que no podrá resistir ni contradecir ningún adversario de ustedes.

Los traicionarán hasta sus propios padres, hermanos, parientes y amigos. Matarán a algunos de ustedes y todos los odiarán por causa mía. Sin embargo, no caerá ningún cabello de la cabeza de ustedes. Si se mantienen firmes, conseguirán la vida".

Meditación (*Meditatio*)

Después de la lectura, toma unos momentos para reflexionar en silencio acerca de una o más de las siguientes preguntas:

- ¿Cuál palabra o palabras en este pasaje captaron tu atención?
- ¿Qué parte en este pasaje te consoló?
- ¿Qué parte en este pasaje te desafió?

Si practicas la lectio divina como familia o en un grupo, luego del tiempo de reflexión, invita a los participantes a compartir sus respuestas.

Oración (*Oratio*)

Lee el pasaje de la Escritura una vez más. Dale al Señor la alabanza, petición y acción de gracias que la Palabra te ha inspirado.

Contemplación (*Contemplatio*)

Lee nuevamente el pasaje de la Escritura, seguida de esta reflexión:

~ ¿Qué conversión de la mente, del corazón y de la vida me pide el Señor?

~ *En aquel tiempo, como algunos ponderaban la solidez de la construcción del templo y la belleza de las ofrendas votivas que lo adornaban.* ¿De qué manera fomenta mi culto a Dios la belleza de mi iglesia parroquial? ¿En qué momentos ha nutrido mi fe el arte religioso?

_____

_____

_____

_____

~ *Los perseguirán a ustedes y los apresarán.* ¿En qué momentos he sufrido por mi fe? ¿Cómo puedo apoyar a quienes son perseguidos por su fe?

_____

_____

_____

_____

~ *Con esto darán testimonio de mí.* ¿Cómo he dado testimonio de mi fe en esta semana? En la semana próxima, ¿cómo puedo compartir mi fe con palabras y acciones?

_____

_____

_____

_____

~ *Después de unos momentos de reflexión en silencio, todos recen la Oración del Señor y la siguiente:*

Oración final

Cantemos al Señor al son del arpa,
aclamemos al son de los clarines
al Señor, nuestro Rey.

Alégrese el mar y el mundo submarino,
el orbe y todos los que en él habitan,
que los ríos estallen en aplausos
y las montañas salten alegría.

Regocíjese todo ante el Señor,
porque ya viene a gobernar el orbe.
Justicia y rectitud serán las normas
con las que rija a todas las naciones.

Del Salmo 97

Vivir la Palabra esta semana

¿Cómo puedo convertir mi vida en un don de caridad para los demás?

Aprende más sobre la libertad religiosa y la persecución religiosa en todo el mundo (solo en inglés): *www.usccb.org/committees/religious-liberty/backgrounder-religious-freedom.*

22 de noviembre 2022

Lectio Divina para la Solemnidad de Nuestro Señor Jesucristo, Rey del Universo

Empecemos nuestra oración:

En el nombre del Padre, y del Hijo, y del Espíritu Santo. Amén.

Dios todopoderoso y eterno,
que quisiste fundamentar todas las cosas
en tu Hijo muy amado, Rey del universo,
concede, benigno, que toda la creación,
liberada de la esclavitud del pecado,
sirva a tu majestad y te alabe eternamente.
Por nuestro Señor Jesucristo, tu Hijo,
que vive y reina contigo en la unidad del Espíritu Santo
y es Dios por los siglos de los siglos.

Oración colecta, Solemnidad de Nuestro Señor Jesucristo, Rey del Universo

Lectura (*Lectio*)

Lee la siguiente Escritura dos o tres veces.

Lucas 23, 35-43

Cuando Jesús estaba ya crucificado, las autoridades le hacían muecas, diciendo: "A otros ha salvado; que se salve a sí mismo, si él es el Mesías de Dios, el elegido".

También los soldados se burlaban de Jesús, y acercándose a él, le ofrecían vinagre y le decían: "Si tú eres el rey de los judíos, sálvate a ti mismo". Había, en efecto, sobre la cruz, un letrero en griego, latín y hebreo, que decía: "Éste es el rey de los judíos".

Uno de los malhechores crucificados insultaba a Jesús, diciéndole: "Si tú eres el Mesías, sálvate a ti mismo y a nosotros". Pero el otro le reclamaba, indignado: "¿Ni siquiera temes tú a Dios, estando en el mismo suplicio? Nosotros justamente recibimos el pago de lo que hicimos. Pero éste ningún mal ha hecho". Y le decía a Jesús: "Señor, cuando llegues a tu Reino, acuérdate de mí". Jesús le respondió: "Yo te aseguro que hoy estarás conmigo en el paraíso".

Meditación (*Meditatio*)

Después de la lectura, toma unos momentos para reflexionar en silencio acerca de una o más de las siguientes preguntas:

- ¿Cuál palabra o palabras en este pasaje captaron tu atención?
- ¿Qué parte en este pasaje te consoló?
- ¿Qué parte en este pasaje te desafió?

Si practicas la lectio divina como familia o en un grupo, luego del tiempo de reflexión, invita a los participantes a compartir sus respuestas.

Oración (*Oratio*)

Lee el pasaje de la Escritura una vez más. Dale al Señor la alabanza, petición y acción de gracias que la Palabra te ha inspirado.

Contemplación (*Contemplatio*)

Lee nuevamente el pasaje de la Escritura, seguida de esta reflexión:

≈ ¿Qué conversión de la mente, del corazón y de la vida me pide el Señor?

_____

_____

_____

_____

≈ *Las autoridades le hacían muecas. . . . También los soldados se burlaban de Jesús.* ¿En qué momentos he juzgado, o ridiculizado a otros por su fe? ¿Cuándo he sido yo mismo juzgado o ridiculizado?

_____

_____

_____

_____

~ *Nosotros justamente recibimos el pago de lo que hicimos.* ¿De qué conductas de pecado debo apartarme? ¿Cómo puedo buscar la gracia y la misericordia de Dios para ayudarme en mi conversión continua?

_____

_____

_____

_____

~ *Yo te aseguro que hoy estarás conmigo en el paraíso.* ¿Qué fundamenta mi esperanza? ¿Cómo puedo llevar esperanza a mi ambiente?

_____

_____

_____

_____

~ *Después de unos momentos de reflexión en silencio, todos recen la Oración del Señor y la siguiente:*

Oración final

¡Qué alegría sentí, cuando me dijeron:
"Vayamos a la casa del Señor"!
Y hoy estamos aquí, Jerusalén,
jubilosos, delante de tus puertas.

A ti, Jerusalén, suben las tribus,
las tribus del Señor,
según lo que a Israel se le ha ordenado,
para alabar el nombre del Señor.

Por el amor que tengo a mis hermanos,
voy a decir: "La paz esté contigo".
Y por la casa del Señor, mi Dios,
pediré para ti todos los bienes.

Del Salmo 121

Vivir la Palabra esta semana

¿Cómo puedo convertir mi vida en un don de caridad para los demás?

Lee sobre la oración como escuela de esperanza en los párrafos
32-34 de *Spe salvi: www.vatican.va/content/benedict-xvi/es/encyclicals/
documents/hf_ben-xvi_enc_20071130_spe-salvi.html.*